La prophétie de la nuit

CYNTHIA COOKE

La prophétie
de la nuit

NOCTURNE

éditions Harlequin

Collection : NOCTURNE

Titre original : RISING DARKNESS

Traduction française de KAREN DEGRAVE

HARLEQUIN®
est une marque déposée par le Groupe Harlequin
NOCTURNE®
est une marque déposée par Harlequin S.A.

© 2007, Cynthia D. Cooke. © 2011, Harlequin S.A.
83-85, boulevard Vincent-Auriol, 75646 PARIS CEDEX 13.
Service Lectrices — Tél. : 01 45 82 47 47
www.harlequin.fr
ISBN 978-2-2802-3293-7 — ISSN 2104-662X

J'ai eu beaucoup de chance de pouvoir écrire une série avec celles qui m'ont aidée à devenir l'auteur que je suis. Je n'arriverai jamais à exprimer à quel point elles comptent pour moi. Ce ne sont pas seulement de très bonnes amies, ce sont mes sœurs. A Nina Bruhns, Michele Hauf et Pat White : travailler sur cette série a été une aventure fantastique que je n'aurais pas pu vivre sans vous. Et à Gail Ranstrom, qui m'a tirée d'affaire plus d'une fois. Je ne voudrais pas affronter le défi d'écrire sans vous avoir à mes côtés. Je vous aime toutes !

Il y a quatre cents ans, un ordre hermétique a été fondé par le premier comte de Saint-Yve et une poignée d'initiés qui ont juré de consacrer leur vie à préserver le monde des êtres paranormaux maléfiques. Depuis cette époque, le Cadre s'efforce de maintenir un équilibre fragile entre le monde des mortels et le royaume de l'Ombre grâce à la recherche et à l'observation des entités surnaturelles. Le Cadre n'intervient que rarement.

Cependant tous les mortels ne considèrent pas pacifiquement l'existence des autres mondes. Depuis quelques décennies, les services secrets britanniques ont créé une force adverse. Ce groupe inconnu du public et nommé Division P n'a qu'une seule directive : détruire les créatures paranormales de toute espèce.

Tandis que les deux organisations se battent pour leurs causes concurrentes avec une loyauté sans faille, les forces des ténèbres se préparent à leur insu à conquérir le monde…

Prologue

Angleterre, 1761

Le soir de l'équinoxe, les rayons de la pleine lune se glissaient entre les arbres pour inonder la clairière d'une lumière argentée. Camilla, allongée sur une fourrure luxueuse, près d'un feu ronflant, regardait passer des nuages orageux. Elle écoutait les bruits familiers et solennels de la caravane qui descendait la colline en sachant que sa famille, qu'elle ne reverrait jamais, en faisait partie.

Elle poussa un profond soupir, puis sourit à son nouveau mari, agenouillé près d'elle, dont les cheveux blonds reflétaient la lumière des flammes.

— Es-tu prête, mon amour ? demanda-t-il.

Elle savait qu'elle avait beaucoup de chance, que les gentilshommes anglais n'épousaient pas les pauvres gitanes. C'était pourtant ce qu'il avait fait. Il s'était présenté au camp, alors qu'on chargeait les chariots, et l'avait suppliée de rester auprès de lui. Déméter, le roi des gitans, les avait mariés sur-le-champ, et sa mère avait pleuré de joie parce que sa fille avait trouvé quelqu'un qui la protégerait et qu'elle allait vivre dans le luxe.

William esquissa un sourire malicieux avant de

déchirer sa chemise légère. Il se mit à la caresser à la lueur du feu, doucement d'abord, puis de plus en plus brutalement. Il pétrit ses seins et en pinça les pointes sensibles jusqu'à ce qu'elle se cambre pour appeler d'autres caresses.

— Est-ce que tu m'aimes ? demanda-t-elle en réprimant un rire nerveux tandis que la chaleur qui se répandait dans son corps la dépossédait peu à peu de toute pensée cohérente.

— Je t'aime tout entière, répondit-il avant de glisser sa langue entre ses lèvres.

Elle l'attira contre elle pour sentir son torse peser sur ses seins et s'envelopper de son parfum.

Le souffle commença à lui manquer lorsque ses lèvres quittèrent les siennes pour descendre vers sa poitrine. Comme elle aimait qu'il la désire autant…

Une part lointaine de son esprit entendit l'approche silencieuse de ses loups. Ils vinrent encercler la clairière en allant se poster l'un après l'autre près des cinq cristaux qu'elle avait placés autour du feu. Leurs yeux, qui reflétaient la lumière des flammes, paraissaient rouges dans la nuit. Elle esquissa un sourire, puis tressaillit lorsque William glissa sa main sous sa jupe colorée.

Il caressa doucement ses replis les plus intimes, avec un doigt, puis deux. Elle écarquilla les yeux lorsque ses mouvements s'accélérèrent et cessa de percevoir à quel point la situation était étrange pour ne plus ressentir que son désir pour lui.

Lorsqu'elle se cambra encore, il vint se placer sur elle pour glisser son membre entre ses cuisses. C'était ce qu'elle avait désiré dès l'instant où elle s'était perdue dans ses yeux verts comme la forêt et avait entendu résonner sa voix rauque.

— S'il te plaît…, le supplia-t-elle, craignant qu'il ne s'arrête sans trop savoir ce qui allait se passer.

Il plongea en elle sans prévenir puis attendit, immobile, tandis qu'elle se mordait la lèvre pour supporter la douleur qui lui déchirait les entrailles.

— Ça va aller, murmura-t-il. C'est fini. Maintenant, tu vas m'envelopper comme si nous ne faisions plus qu'un, comme si nous étions faits l'un pour l'autre.

Elle se détendit en sachant qu'il avait raison. Ils étaient faits pour être ensemble.

Pour toujours.

Alors il recommença à bouger. Elle faillit crier de frustration en le sentant se retirer lentement avant de plonger de nouveau, puis s'étira autour de lui comme un gant de satin parfaitement ajusté.

— Nous allons si bien ensemble, mon amour…, gémit-il. Comme si nous avions été créés pour vivre cet instant.

— Les deux parties d'un même tout, murmura-t-elle avant de laisser cette idée lui échapper parce qu'il plongea encore. Ne le fais plus…

Elle enroula ses jambes autour de sa taille, mais plus elle le serrait contre elle, plus elle s'approchait d'une menace inconnue. Elle se perdait dans des sensations qu'elle n'avait jamais éprouvées, et en était aussi terrifiée qu'exaltée. Elle avait l'impression de s'approcher d'une falaise et craignait d'en tomber.

— Faire quoi ? demanda-t-il en riant.

— Ne me quitte plus ! le supplia-t-elle en le serrant

de toutes ses forces tandis que ses mouvements s'accéléraient.

Il la poussait impitoyablement vers cette frontière inconnue où toute créature pleure de joie d'être en vie. Il frotta son corps contre le sien jusqu'à ce qu'elle s'embrase et pousse un hurlement auquel ses loups firent écho.

Elle ne pouvait plus ni bouger ni penser, seulement s'abandonner à la chaleur de l'homme qu'elle aimait de tout son cœur.

Un cheval pénétra dans la clairière en soufflant bruyamment. Ses loups se relevèrent aussitôt en grognant. Camilla s'arracha à sa langueur pour ouvrir les yeux. William s'était redressé, le visage dur.

— William ? murmura-t-elle, brusquement inquiète.

Une femme blonde vêtue d'un costume en velours montait fièrement un étalon blanc comme la neige. Ses yeux d'un bleu très clair étaient plissés par la haine.

— Qu'avons-nous donc là ?

William se leva, ajusta ses vêtements et laissa Camilla se débrouiller seule. Celle-ci bondit et s'enveloppa de la fourrure pour se dérober aux regards voraces des quatre hommes qui accompagnaient la femme.

— Quand nous serons mariés, William, je ne tolérerai plus que vous vous amusiez avec des catins gitanes.

— Amélia, la cajola William avant de lui murmurer des platitudes que Camilla n'entendit pas.

Son esprit s'affolait. Pourquoi avait-elle dit : « Quand nous serons mariés » ? William était *son* mari. Peut-être pas aux yeux des lois anglaises, pas encore, mais ce n'était qu'une formalité. Il l'avait dit lui-même…

— William ? appela-t-elle d'une voix hésitante.

Il se tourna vers elle, mais ce n'était plus l'homme qui venait de lui faire l'amour. C'était un étranger. Il n'y avait aucune chaleur dans son regard, rien que du triomphe et une cruauté moqueuse. Il esquissa un sourire.

— Désolé, chérie, mais comment as-tu pu y croire ? lui lança-t-il avant d'aller effleurer les longues tresses blondes de la femme. Vous savez que je ferai tout pour vous être agréable, Amélia.

— Dans ce cas, dites à cette fille de déguerpir et de ne plus jamais m'infliger le spectacle de son sale visage.

— Vous ne la verrez plus jamais, je vous le jure.

Les longs doigts de William, qui venaient de lui faire découvrir des paradis inconnus, se glissèrent sous la jupe de velours de la femme pour lui effleurer la jambe.

— Non, gémit Camilla en sentant une douleur immense s'abattre sur sa poitrine.

Ses yeux s'emplirent de larmes. Il l'avait trompée. Il les avait tous trompés, et voici qu'elle se retrouvait seule au monde… Elle se laissa tomber à genoux, leva les bras vers le ciel, renversa sa tête en arrière et laissa son hurlement résonner dans la nuit.

Les hurlements de ses loups se mêlèrent au sien en une cacophonie désespérée.

— Fais taire tes bêtes ! ordonna William. Et arrête ce vacarme !

Mais il n'était pas davantage en son pouvoir d'arrêter de hurler que d'arrêter les éclairs qui zébraient le ciel.

— Je t'ai demandé d'arrêter ! rugit-il en s'approchant d'elle pour la gifler.

Elle bondit et le fixa, paralysée, en se frottant la joue.

— Tu m'as dit que tu m'aimais…

Son regard se durcit.

— Comment pourrais-je aimer une moins que rien telle que toi ? Je voulais seulement écarter tes jolies cuisses de vierge, ricana-t-il en se penchant vers elle. Et c'en valait la peine… On pourra recommencer un de ces jours, si tu veux…

Il ponctua son discours d'une vigoureuse claque sur ses fesses.

— Tu ne seras jamais heureux avec elle, grogna Camilla. Tu ne connaîtras jamais l'amour. Ton âme ne connaîtra jamais la paix et tu passeras ta vie à te languir de mon amour.

— De ton amour ? répéta-t-il avant de se mettre à rire à gorge déployée.

Une fureur telle qu'elle n'en avait jamais connu l'envahit. Elle laissa tomber la fourrure pour se mettre à tourner en rond, les bras tendus vers le ciel.

« Que mes cercles soient pareils à ceux des loups !
Que mon pouvoir s'élève vers le ciel comme les volutes d'encens !
Que mes paroles se suspendent à ton cou !
Tu chercheras l'amour perdu ta vie entière,
Et même quand ton corps reposera au cimetière ! »

16

— Sorcière ! cria Amélia. Fais-la taire !

William tendit le bras pour saisir Camilla, qui tournait de plus en plus vite.

« A la beauté blonde, tu ne légueras que douleur. »

Il lui tira les cheveux.

« Quant aux enfants de tes enfants… »

Il interrompit ses cercles en l'immobilisant brutalement par-derrière.

« Seule une tragédie leur restera. »

Camilla fixa les yeux bleu pâle de la femme de son regard brûlant et esquissa un sourire en voyant la terreur la gagner.

« Si tes descendants trouvent l'amour sur leurs pas,
Ma malédiction les mènera à leur trépas. »

— Tue-la ! hurla Amélia.

Camilla s'était tant abandonnée à sa douleur et à sa haine qu'elle sentit à peine que William la soulevait dans ses bras.

— Asmos ! hurla-t-elle. Entends ma voix ! Prends mon cœur, mon âme, et donne vie à ma vengeance !

Elle entendit à peine William grommeler : « Meurs, sorcière ! », en la lâchant.

Elle sentit à peine les flammes lécher sa peau tandis que l'essence du démon se déversait en elle comme un feu liquide. Elle perdit le souffle et sentit son estomac se nouer, mais elle sut qu'elle n'était plus seule en entendant un rire résonner dans sa tête.

Elle avait appelé Asmos, le démon de la colère, et il était venu à elle.

Elle se tenait au milieu des flammes qui dansaient à ses pieds et s'écartaient pour ne pas la toucher. Une douleur intolérable lui déchira les entrailles. Terrifiée, elle se plia en deux en se tenant le ventre tandis que du sang se mettait à couler de son nez et entre ses cuisses. Alors elle vomit pour achever de se purger de tout ce qu'il y avait d'humain en elle et accueillir la puissance du démon qui la possédait.

Les loups hurlèrent une cacophonie douloureuse et angoissée. La pleuraient-ils ?

Elle les fixa dans les yeux pour atteindre les profondeurs de leur esprit.

Ne craignez rien, mes chéris. Le moment est venu. La nuit de notre vengeance ne fait que commencer.

Alors leurs hurlements devinrent parfaitement harmonieux et Camilla se redressa fièrement, un sourire terrifiant aux lèvres.

Amélia poussa un cri horrifié avant de s'enfuir au galop dans la nuit. Les quatre hommes qui l'escortaient restèrent immobiles, fascinés par la beauté de Camilla et les flammes qui dansaient dans ses yeux.

— Comment est-ce possible ? balbutia William en reculant.

L'essence d'Asmos lui donnait des forces et des appétits qu'elle n'avait jamais connus. Les cheveux se cabrèrent en hennissant.

— Du calme, murmura-t-elle à celui qui se trouvait le plus près d'elle avant de laisser ses ongles courir sur son encolure pour faire jaillir le sang.

La vue de l'épais liquide affola les loups. Le cheval terrorisé se cabra en jetant bas son cavalier, qui s'enfuit en courant vers la forêt. Alors ce fut le chaos. Les chevaux s'élancèrent dans toutes les directions, les hommes hurlèrent et les loups s'en donnèrent à cœur joie.

Et il y avait William.

Ses yeux étaient exorbités. Il ne regardait plus son corps nu avec concupiscence, ne riait plus de sa douleur et de son humiliation. Elle ne lisait plus que de la terreur sur son visage et elle aimait cela.

Et elle voulait plus.

Elle voulait l'entendre hurler.

Elle tendit le bras.

1

Angleterre, de nos jours

Un sentiment proche du désespoir envahit Emma McGovern lorsque les hurlements des loups déchirèrent le silence du soir. Elle s'approcha de la fenêtre pour contempler les environs désolés. En entendant ce son, elle ne pouvait s'empêcher de trembler ni de sentir les cicatrices de sa joue la brûler. On lui avait expliqué qu'il s'agissait de douleurs fantômes, mais cela ne les rendait pas moins cuisantes et cela n'effaçait pas de son esprit le souvenir auquel elles étaient associées.

— Ils sont revenus, Lucia, dit-elle à la femme penchée devant le four.

Cette dernière continua à arroser le rôti sans même prendre la peine de se retourner.

Le riche arôme du porc caramélisé et des légumes confits flottait dans la cuisine, mais ce parfum réconfortant ne suffisait pas à réchauffer Emma ni à lui faire oublier sa peur.

Lucia referma le four d'un geste assuré, ouvrit un placard et en sortit un vieux bocal en grès d'où elle tira une broche confectionnée avec de la bruyère séchée et des gardénias.

— C'est magnifique, murmura Emma en l'approchant de son nez avant de l'en écarter d'un geste brusque en grimaçant. Pouah ! Qu'est-ce que c'est ?

— De l'huile de poisson, répondit Lucia en rangeant le bocal. Ça te protégera des bêtes. Porte-le, au moins jusqu'à ce que l'équinoxe soit passée…

Emma fixa la broche à contrecœur sur son chemisier orné de dentelle. Elle était intimement convaincue que rien ne pourrait la protéger des bêtes. C'était son destin qui la rattrapait.

— Ça ne s'arrêtera jamais, n'est-ce pas, Lucia ? Chaque année, j'espère qu'il en sera autrement, puis les loups reviennent…

Elle retourna se poster à la fenêtre pour attendre l'inévitable.

Lucia secoua la tête.

— Je finirai par trouver un moyen de briser cette malédiction. Ce que la magie des gitans a fait, la magie des gitans peut le défaire. En attendant, tu dois prendre des précautions.

— Je sais, répondit Emma en esquissant un sourire triste. Inutile de t'inquiéter pour ça. L'amour n'est pas près de frapper à ma porte.

Emma sirota une gorgée de son thé en détournant les yeux. Elle n'avait pas besoin d'être frappée d'une malédiction pour que l'amour lui échappe. Quand bien même elle rencontrerait quelqu'un dans cet endroit perdu, il se détournerait d'elle dès qu'il apercevrait son visage.

— Ça ne t'empêche pas de jouir de la compagnie de quelqu'un, Emma, reprit Lucia avec douceur. L'amitié et la complicité sont très importantes dans une relation... Mais tu n'auras même pas ça si tu restes enfermée ici. Va donc te promener au village, rencontrer des gens...

— Pour avoir la vie de papa et maman ?

— Exactement.

Comment Emma pouvait-elle lui expliquer qu'elle aspirait à davantage qu'une relation basée sur un arrangement ? Elle voulait... Elle soupira profondément. Elle voulait ce qui lui était interdit : une passion brûlante et un amour éternel.

— As-tu vu Angel ? demanda-t-elle. Cette stupide chienne a refusé de venir quand je l'ai appelée.

— Non, répondit Lucia d'une voix inquiète en venant se placer près d'elle à la fenêtre. Est-elle restée dehors toute la journée ?

Emma acquiesça en déglutissant péniblement.

— Elle ne rentre pas si tard, d'habitude. Il vaudrait mieux qu'elle revienne vite, avant...

— Je vais la retrouver, lui promit Lucia en lui tapotant le bras avant d'aller sortir le rôti du four.

Une part d'Emma savait qu'elle avait tort de s'inquiéter. Angel s'enfuyait souvent. Il suffisait que cette stupide chienne renifle la trace d'un lapin ou d'un écureuil pour qu'elle se lance aussitôt à sa poursuite à travers la campagne. Jusqu'à présent, elle était toujours revenue avant la nuit. Ce serait pareil aujourd'hui, songea Emma pour se rassurer en regardant le soleil basculer derrière l'horizon.

Sauf que la chienne revenait toujours quand elle l'appelait. Elle massa doucement les profondes cicatrices de sa joue.

— Est-ce que la douleur s'aggrave ? lui demanda Lucia en l'observant avec inquiétude.

Emma acquiesça.

— Toujours, à cette période de l'année.

Et ce n'était pas à cause de la fraîcheur des nuits, comme le prétendait le Dr Callahan, mais parce que sa souffrance faisait écho au retour de l'équinoxe, des loups et du désespoir.

— Je vais préparer l'onguent, marmonna Lucia. En attendant, monte ce plateau à ton père — mais cache-lui ta peur.

Elle versa une copieuse louchée de pommes de terre et de carottes dans une assiette.

— Je sais, répondit Emma en écartant sa main de sa joue. Le Dr Callahan m'a dit qu'il avait besoin de calme. Je ferai attention à ne pas l'inquiéter.

Elle prit le plateau, monta à l'étage et s'arrêta un instant à la porte de la chambre de son père pour tâcher de prendre une expression sereine. Elle ne voulait pas qu'il s'inquiète pour elle alors qu'il était si fragile du cœur…

Emma prit une profonde inspiration, puis entra pour lui apporter son dîner et ses médicaments.

— As-tu faim, papa ?

— Emma…, répondit-il en lui souriant. Est-ce que tu m'évitais ?

— Ne sois pas idiot… Pourquoi éviterais-je mon père préféré ?

— As-tu donc un autre père dont je ne saurais rien ?

Elle posa le plateau sur ses genoux avec un grand sourire.

— Lucia a fait du rôti de porc, avec des carottes et des pommes de terre nouvelles. Elle s'est surpassée, ce soir.

— Tu aurais pu prendre une assiette pour toi et rester dîner avec moi, lui fit-il remarquer avec une moue boudeuse.

— J'aurais dû, lui accorda-t-elle pour ne pas avouer qu'elle ne pouvait rien avaler.

Comment aurait-elle pu manger alors que son estomac était si noué ? Elle se donna une contenance en allant allumer sa lampe de chevet, puis s'installa dans le fauteuil antique près du lit.

Son père prit une bouchée et la mâcha d'un air songeur.

— Le Cadre a encore appelé aujourd'hui, annonça-t-il.

— Et tu leur as parlé ? demanda Emma en sentant son cœur se serrer.

— Ils sont très persuasifs.

— Ils devaient l'être aussi la dernière fois, et maman en est morte.

L'amertume de sa voix la surprit elle-même. Le Cadre, une organisation qui protégeait les gens des menaces surnaturelles depuis des siècles, avait promis de protéger sa mère de la malédiction qui pesait sur leur famille. Au lieu de cela, l'agent qui était venu avait déclenché la série d'événements funestes qui les avait menés tous deux à leur mort.

Elle fut tentée de développer sa pensée et de continuer à blâmer le Cadre pour la tragédie qu'elle avait vécue, mais la tristesse de son père l'en empêcha.

— Je suis désolée…

Elle détestait le voir aussi perdu et vulnérable.

Ses yeux gris-bleu la fixèrent.

— Nous avons tort de vivre tout seuls au milieu de nulle part. Je ne supporterais pas qu'il t'arrive quelque chose…

— C'est pourquoi il ne va rien m'arriver, répondit-elle en se forçant à lui offrir un sourire rassurant.

— Je pense que nous devrions accepter leur proposition et nous installer au manoir de Saint-Yve. Nous pourrions y commencer une nouvelle vie. Tu pourrais rencontrer des gens, poursuivre tes études, te faire des amis…

Une terreur soudaine s'empara d'elle à cette idée.

— Mais nous sommes chez nous au manoir de Pluie-de-Loups ! Je…

— Ce n'est pas un endroit où vivre. Ce n'est qu'un terrier de renard dans lequel nous nous cachons tous les deux depuis bien trop longtemps.

Emma se leva pour marcher jusqu'à la fenêtre qui surplombait le chemin par lequel on accédait au manoir. Elle entendit son père poser ses couverts et repousser le plateau.

— Je t'aime, Emma, mais nous savons tous les deux que je n'en ai plus pour très longtemps. J'aimerais être certain que tout va bien se passer pour toi avant de te quitter. Le Cadre peut t'aider.

— Je ne peux pas quitter ce manoir, répondit-elle d'une voix brisée.

Elle détestait l'entendre tenir ce genre de discours. Elle aurait voulu l'apaiser, mais ils avaient déjà essayé. Quand son père l'avait envoyée à l'université, elle avait fait des cauchemars chaque nuit, et dû supporter les moqueries des autres étudiants qui ne l'avaient jamais acceptée à cause de son visage.

— Je ne peux pas revivre ça ! s'écria-t-elle en laissant s'exprimer la rage qui ne la quittait jamais. Sans parler de la malédiction ! Je suis bien mieux ici, loin...

— Tais-toi. Il n'y a pas de malédiction. Je te l'ai déjà dit cent fois. Ce qui vous est arrivé, à ta mère et à toi, est une tragédie, pas une malédiction.

— Des loups nous ont attaquées, papa. Sans provocation de notre part. Des loups qui ne sont même pas censés exister en Angleterre... Et ils sont revenus. Ne les entends-tu pas ?

— As-tu appelé les gardes forestiers ? La SPA ?

— Evidemment ! Ils disent qu'il n'y a pas de loups. Ils ne les ont pas trouvés et n'ont même pas vu d'empreintes. Ils me croient folle. Ils me prennent pour une pauvre fille qui a passé trop de temps enfermée dans son manoir en ruines.

Ses poings se crispèrent.

— J'en suis désolé. Mais ça ne prouve pas l'existence de la malédiction. Ça démontre simplement qu'ils font mal leur travail.

— Ils ont raison ! Il n'y a pas de loups. Ce sont des démons qu'une gitane a déchaînés contre notre famille il y a deux siècles.

— Ne vois-tu pas à quel point cette idée est ridicule ? Notre famille n'est pas maudite. Je ne veux plus en entendre parler, est-ce que c'est clair ?

En prononçant ces mots, son père rougit brutalement et se mit à tousser.

Elle se précipita vers lui en regrettant de l'avoir énervé.

— Papa ?

Elle versa de l'eau dans son verre et le lui tendit. Son père y but à longs traits en la chassant du geste.

— Ça va, ça va…

Soulagée, Emma se laissa tomber dans le fauteuil. Elle savait qu'il valait mieux éviter ce sujet, mais c'était elle qui avait vu sa mère mourir et entendu ses dernières paroles.

Ne succombe jamais à l'amour, Emma, promets-le-moi…

Les hurlements reprirent. Emma ravala ses larmes pour retourner se poster à la fenêtre.

— Ils s'approchent de plus en plus de la maison, murmura-t-elle, parcourue d'un frisson qui amplifia la douleur de ses cicatrices.

Un cavalier se détacha d'un bosquet et leva les yeux vers le manoir. Le souffle coupé par cette apparition soudaine, Emma s'empressa de s'écarter de la fenêtre.

— Je sais que tu as peur, répondit son père. Mais c'est l'équinoxe. Après cette fichue nuit, ils partiront, comme chaque fois. Alors tout reviendra à la normale.

— La normale, c'est ça…, grommela-t-elle.

— D'ici là, par prudence… Ne quitte pas la maison.

Elle en aurait été incapable même si elle l'avait voulu — même si elle avait eu quelque part où aller.

— Bon appétit, papa.

Elle alluma la télévision pour lui mettre le bulletin d'informations, puis quitta la chambre. Ce n'était pas le soir pour une longue visite.

— Emma ? dit-il avant qu'elle ne sorte de la pièce. Je te prie d'accueillir convenablement l'agent du Cadre lorsqu'il se présentera.

Emma ravala sa colère pour acquiescer. Elle allait devoir lui ouvrir sa porte, mais rien ne l'obligeait à lui parler.

Damien Hancock sentit son cœur manquer un battement lorsque la femme s'approcha de la fenêtre. Ses yeux bleus où se lisait tant de solitude se posèrent sur lui comme si elle pouvait le voir. Emu par sa tristesse, il soutint son regard pendant quelques instants avant qu'elle ne disparaisse.

Il s'arracha à son étrange impression et observa les environs en se demandant ce qui avait pu inciter son frère à y revenir. C'était là qu'ils avaient perdu leur vie, leur famille, leur humanité… Pour sa part, il aurait préféré ne jamais remettre les pieds au hameau de Pluie-de-Loups. Plus vite il retrouverait son frère, plus vite il pourrait repartir. Il étendit sa perception pour tâcher de repérer l'aura de Nicholaï mais ne ressentit rien.

Il avait suivi de loin les agissements de son frère au fil des années. Il savait quels démons il avait combattus et desquels il s'était nourri, mais n'avait jamais voulu voir de ses propres yeux le monstre qu'il était devenu d'après les dires du Cadre.

Jusqu'à présent.

Damien en avait assez de se cacher la tête dans le sable. Il était temps qu'il comprenne ce que son frère était vraiment. Peut-être même cela l'aiderait-il à savoir ce qu'il voulait faire de son existence, maintenant qu'il s'était éloigné du Cadre.

Une biche bondit d'un buisson et se figea en le voyant. La forêt embaumait toujours la terre humide et les odeurs des bêtes... Son retour sur ces terres ne pouvait pas manquer d'éveiller ses souvenirs.

Il leva les yeux vers le vieux manoir entouré de chênes sombres qui tendaient leurs branches noueuses vers ses fenêtres sales. Le bois pourrissait et le métal rouillait... La vieille bâtisse n'avait plus rien de son ancienne grandeur. L'idée le fit sourire. Rien ne lui aurait fait davantage plaisir que de voir le manoir de Pluie-de-Loups tomber en poussière.

Tiré de sa contemplation par la fuite soudaine de la biche, Damien éperonna son cheval. La biche ne fit qu'une dizaine de pas avant de s'arrêter brusquement en agitant les oreilles. Damien sentit l'odeur âcre de sa peur l'envelopper.

Alors il entendit quelque chose courir vers lui et faillit tomber lorsque le cheval paniqué se cabra.

— Tout doux, mon garçon, tout doux..., le rassura-t-il.

Comme le cheval, dont le cœur battait follement, se cabrait de nouveau, Damien lui fit faire demi-tour et le lança au galop à l'opposé du manoir. Lorsqu'ils eurent regagné le couvert des arbres, il le força à s'arrêter et se retourna vers la vieille demeure. Des loups aux yeux rouges fonçaient vers eux. Damien en compta quatre — plus qu'il ne pouvait en affronter, même avec sa force surhumaine.

Les loups du démon Asmos, qui guettaient la femme de la fenêtre pour que s'accomplisse une vieille malédiction gitane… Alors il sut pourquoi son frère était là. C'était le démon qui l'intéressait. Sauf qu'il était trop gourmand, cette fois…

Le lacet de cuir qui retenait les cheveux de Damien se dénoua et de longues mèches noires vinrent lui encadrer le visage. Il se détourna du manoir pour s'enfoncer dans la forêt tandis que la nuit l'enveloppait de ses ténèbres.

Il poussa son cheval au galop en guettant l'être qui occupait ses pensées depuis qu'il était rentré en Angleterre.

Son frère Nicholaï.

Alors il distingua une lueur entre les arbres. Son cœur battit plus vite. L'odeur du sang des bêtes qui détalaient dans les fourrés lui emplissait les narines et il sentait celui de son cheval circuler sous sa peau.

Mais c'était le village, et non un clan de vampires amateurs de démons, qui venait d'apparaître au loin. Dix minutes plus tard, Damien laissa son cheval revenir au trot, puis au pas. La pauvre bête était trempée de sueur et toujours terrorisée. Damien étendit sa perception sans retrouver ni les loups ni son frère.

Alors qu'elle descendait l'escalier, Emma hésita en percevant une odeur qui lui était familière. Elle s'agrippa à la rambarde et reprit lentement sa progression en essayant de se rappeler ce que ce parfum évoquait pour elle.

— Lucia ? appela-t-elle avant de d'arrêter sur la dernière marche, le cœur affolé.

Ses yeux venaient de tomber sur la porte du cellier qui habituellement s'encastrait parfaitement dans le mur de la cuisine. Elle était entrouverte. L'angoisse la saisit.

Au prix d'un violent effort de volonté, elle posa le pied sur le sol de la cuisine. Elle savait que la porte était si bien camouflée par les boiseries qu'il fallait regarder de près pour distinguer les jointures. Mais cela faisait si longtemps qu'elle n'y avait pas pensé, qu'elle ne l'avait pas vue ouverte... Un frisson la parcourut.

Elle n'arrivait plus à détacher ses yeux de la porte, tout en ne supportant plus de la regarder en sachant qu'elle pouvait s'ouvrir à tout instant pour révéler les ténèbres qu'elle masquait.

Son cœur battait si fort qu'elle en avait mal dans la poitrine. Alors qu'elle se massait le plexus, un grognement sourd se fit entendre. Elle avança d'un pas. Elle ne voulait surtout pas savoir ce qui se cachait derrière cette porte et n'aspirait qu'à mettre le plus de distance possible entre le cellier et elle.

Emma se dirigea vers la porte qui menait au jardin et posa la main sur sa poignée tandis que l'odeur continuait à la poursuivre. Des souvenirs enfouis s'agitaient en elle pour remonter vers la surface.

Elle avait déjà ouvert la porte du cellier par le passé. Elle se souvenait vaguement des marches qui grinçaient sous ses pieds, de cette odeur entêtante et des ténèbres qui engloutissaient le moindre rayon de lumière. Elle ne voyait même plus ses mains devant ses yeux. Et il y avait quelque chose, en bas — quelque chose qui était juste hors de sa portée.

Pourquoi ne s'en souvenait-elle pas ? Elle tourna les yeux vers la porte du cellier. Pourquoi avait-elle si peur ? Pourquoi était-elle si certaine de ne jamais en revenir si elle y descendait ? Que s'y était-il donc passé ? Elle se concentra davantage.

Elle se rappela que de la fumée s'élevait de bougies et de bâtons d'encens. Elle se rappela que des ombres dansaient sur le mur et que quelque chose s'écoulait par terre. Du sang... Le hurlement suraigu d'une enfant résonna dans sa tête — *son* hurlement.

Cours, Emma !

Elle ouvrit brutalement la porte et courut dans la nuit pour échapper à ses souvenirs et à cette odeur d'une douceur écœurante. Elle s'arrêta au milieu du jardin, s'appuya à un tronc d'arbre et laissa l'air de la nuit lui rafraîchir le visage. La pleine lune éclairait le jardin et caressait de ses rayons les plus hauts arbres de la forêt comme pour l'inviter à s'y enfoncer.

Etourdie par les images qui jaillissaient de sa mémoire, elle ferma les yeux. Une mare de sang s'étendait sur le sol en se glissant dans les interstices du carrelage et en s'approchant lentement de ses pieds. Elle rouvrit les yeux en tressaillant et aperçut quelque chose du coin de l'œil.

— Angel ? appela-t-elle d'une voix pathétique.

Elle savait bien pourtant ce qui était tapi dans l'ombre. Elle entendait les halètements, bien trop puissants pour être émis par sa petite Angel. Elle se retourna et vit une image qui ne pourrait jamais s'effacer de son esprit : des loups dont les yeux rougeoyaient dans la nuit.

Son cri resta bloqué dans sa gorge. Elle savait

qu'elle aurait dû courir, mais elle ne pouvait plus faire un geste.

— Emma ! cria Lucia en lui attrapant le bras pour l'entraîner dans la cuisine dont elle referma soigneusement la porte derrière elles. Tu ne dois pas sortir. Tu le sais ! Que faisais-tu donc dehors ? Tu ne dois pas recommencer !

Ses yeux étaient agrandis par la terreur et ses doigts s'enfonçaient douloureusement dans l'épaule d'Emma.

— Je sais. Je suis désolée…, répondit Emma en essayant de se libérer. J'avais seulement besoin de prendre l'air.

Ses yeux tombèrent sur la porte ouverte du cellier.

Lucia la lâcha et recula d'un pas, le souffle court.

— J'appelais Angel, mentit Emma en se massant l'épaule, puis la joue. Je vais bien. Je ne le ferai plus.

Lucia, qui n'avait pas encore retrouvé son calme, hocha la tête.

— Je t'assure, insista Emma en se forçant à sourire. Je suis désolée. Je serai plus prudente à l'avenir.

Elle émit un petit rire nerveux, mais ses craintes commençaient à peine à se dissiper qu'un bruit sourd les fit sursauter.

Toutes deux tournèrent la tête vers la fenêtre et virent un énorme loup gris en train de la lacérer frénétiquement de ses griffes.

Lucia fut la première à réagir. Elle courut vers lui en agitant les bras.

— Va-t'en !

Emma resta paralysée sous le regard du loup qui lui montrait les crocs avec férocité.

— Il est venu pour moi, murmura-t-elle.

— Va-t'en ! répéta Lucia en s'armant d'un balai pour l'agiter devant la fenêtre.

Le loup fixa Emma encore un long moment avant de s'éloigner.

Celle-ci se laissa tomber sur une chaise en se massant la joue.

— Et si papa avait raison ? On devrait peut-être quitter le manoir...

— Nous n'irons nulle part, répondit Lucia d'une voix dure que démentait son regard désemparé. Ils nous en empêcheront.

La porte du cellier grinça derrière elle. Lorsque Emma se retourna pour plonger son regard dans les ténèbres, la certitude que Lucia disait vrai s'imposa à son esprit. Les loups n'allaient pas les laisser partir. Elle n'avait aucun choix, aucun espoir... Elle était maudite.

2

Le sang de Damien se mit à circuler de plus en plus vite et ses canines s'allongèrent. Il était dévoré de soif et de désir — et pas nécessairement dans cet ordre. Il grogna en reniflant le doux parfum d'Anna, la femme de ménage, qui s'agitait à l'étage, et sentit son ardeur croître.

En même temps, les bruits des rongeurs qui vivaient dans les murs lui faisaient éprouver un intense besoin de se nourrir.

Il y avait plusieurs sacs de sang bovin dans le réfrigérateur de sa chambre, mais le seul fait d'y penser lui retournait l'estomac. Il voulait du sang frais… humain ? Il ferma les yeux, inspira profondément et caressa le cristal qu'il gardait dans sa poche pour tâcher de se calmer.

Finalement, il tira le morceau de quartz couleur d'ambre de sa poche et fixa son regard sur son centre pour tirer de lui la force de ralentir son cœur et de détendre ses muscles. Sa soif s'apaisa un peu. Il se dirigea vers le réfrigérateur, en tira un sac de sang qu'il ouvrit avec les dents et y but à longs traits avant de refermer les yeux.

Il était membre du Cadre depuis longtemps et avait appris à utiliser ses pouvoirs pour discipliner sa soif. C'était à force de se renier lui-même, et au terme d'années de formation, qu'il était finalement devenu un adepte — un maître de l'occulte, un chasseur de démons. Il devait les capturer et les livrer au Cadre pour qu'ils soient interrogés et parfois déportés dans le Royaume de l'Ombre.

C'était afin de devenir un adepte qu'il n'avait jamais bu une goutte de sang humain. Ce renoncement le rendait plus fort, et la pureté de son cœur lui permettait de vaincre ceux qui ne s'étaient pas imposé cette discipline. Mais sa soif de sang n'en était pas moins puissante.

Une boule se forma au creux de son estomac lorsque son téléphone se mit à sonner en faisant vibrer les murs. Il emprunta le couloir, pénétra dans la pièce sécurisée et en referma la porte derrière lui. Une seule personne connaissait ce numéro. Il se planta devant le visiophone et appuya sur le bouton.

— Salut, Nica.

Nica Burrows, la directrice de communication du Cadre, lui confiait ses missions depuis un long moment. Elle était tenace et refusait de le laisser disparaître malgré tous ses efforts.

— Salut, Damien. Comment vas-tu ?

— Bien, je te remercie, mentit-il.

Il mentait toujours au Cadre, désormais. Pourquoi lui aurait-il livré le fond de son âme, alors que cette organisation ne se souciait que de ses propres intérêts ? C'était pour cette raison qu'il tentait de s'en éloigner — si seulement on avait bien voulu le laisser faire.

— Est-ce du sang, sur ton menton ?

Sa question lui rappela à quel point il haïssait la technologie moderne.

— Désolé, chérie. Je viens de prendre mon petit déjeuner.

Son visage, qui semblait tiré d'un magazine, resta parfaitement impassible. Elle ressemblait à une poupée de cire avec ses cheveux blond cendré, ses grands yeux bleus et sa peau de porcelaine. Il ne se souvenait même pas de son odeur — sans doute parce que son sang était glacé.

— Nous avons perçu une activité anormale dans les environs de Pluie-de-Loups. Puisque tu es rentré en Angleterre et que tu connais la région, nous pensions que tu accepterais peut-être de nous aider dans cette petite affaire.

Il esquissa un sourire ironique.

— Asmos n'est certainement pas une « petite affaire ».

Elle leva un sourcil parfaitement dessiné.

— Tu as raison. Et l'équinoxe approche. L'activité que nous avons enregistrée est plus importante que les années précédentes. Il va se passer quelque chose. Les loups sont de retour, et ils sont plus forts que jamais. Tu as vécu là-bas, autrefois…

— Tu veux dire quand j'étais humain ?

— Tu as connu l'ancêtre des McGovern, Amélia… Celle qui a été maudite par la gitane…

— C'est vrai.

Il n'avait aucune raison de le cacher. Camilla faisait partie de son clan. Il la savait puissante, mais ne s'était jamais douté qu'elle l'était assez pour invoquer un démon et déclencher une série d'événements dont il allait lui-même pâtir deux siècles plus tard.

— Les McGovern sont terrifiés, reprit Nica. Ils ont besoin de notre aide. Personne n'est mieux placé que toi pour renvoyer Asmos dans son monde.

Elle marquait un point. Ça ressemblait à un nouveau départ. N'était-ce pas ce qu'il souhaitait ? Repartir de zéro ? Ne plus dépendre de personne et découvrir la véritable raison de sa présence en ces lieux ?

— Commence par nous amener Emma, poursuivit-elle. Nous te fournirons un cristal de confinement et tu retourneras capturer le démon, comme tu sais si bien le faire...

— Et tu me fais confiance ? Allons, Nica... Pourquoi m'as-tu appelé ? Pourquoi me soucierais-je de cette histoire ? Pourquoi voudrais-je capturer un nouveau démon après ce qui s'est passé la dernière fois ?

Après son échec cuisant...

Nica ferma les yeux pendant quelques instants. Lorsqu'elle les rouvrit, son indifférence de poupée avait cédé la place à une douleur sincère.

— Parce qu'on ne peut pas courir le risque de perdre encore un agent à cause de ce démon. Cette mission exige quelqu'un de spécial... Quelqu'un comme toi...

— Et qu'est-ce qui me rend si spécial ? demanda-t-il avec amertume. Il n'y a pas si longtemps, j'étais *persona non grata* au manoir de Saint-Yve...

— Nous savons que tu seras capable de lutter contre cette malédiction mieux que personne.

— Pourquoi ? Parce que ce n'est pas du sang

humain qui coule dans mes veines ? Vous croyez que ça me protège de la malédiction ? Que ça m'empêchera d'éprouver de l'attirance pour la fille McGovern ?

Il songea à la femme qu'il avait aperçue à sa fenêtre. Comme elle était jolie et esseulée… Quelque chose en lui s'embrasa à ce seul souvenir. Non, le fait de ne pas être humain ne le protégeait ni d'elle ni de la malédiction…

— Ou peut-être croyez-vous qu'elle ne pourra jamais aimer quelqu'un comme moi, ricana-t-il.

— Non, Damien, répondit-elle trop vite. Ce qui nous a incités à faire appel à toi, c'est que tu seras encore capable de l'arrêter si vous succombez à la malédiction et tombez amoureux l'un de l'autre. Si Emma devient le vaisseau d'Asmos, elle ne pourra pas te tuer aussi facilement que sa mère a tué Charles Lausen.

Le souvenir qui lui revint tout à coup le laissa sans voix pendant quelques instants.

— C'était ton père, n'est-ce pas ?

Nica se retrancha derrière la dureté de son regard comme derrière un rempart.

— Si tu ne veux pas le faire pour nous, fais-le pour Emma McGovern.

Il faillit éclater de rire.

— Emma est la dernière descendante d'Amélia, c'est bien ça ? Lorsqu'elle aura disparu, le Cadre n'aura plus à se soucier de rien : la malédiction aura trouvé son achèvement.

— Elle a été marquée par les loups. Asmos a décidé d'en faire son prochain vaisseau. S'il parvient à la posséder, qui sait quelles atrocités il commettra ?

— Désolé, chérie. Je ne marche pas, cette fois.

— S'il te plaît, Damien… Va au moins faire un tour au hameau de Pluie-de-Loups. Va parler aux McGovern et évalue la situation par toi-même avant de prendre une décision. Nous voudrions seulement que tu ramènes la fille au manoir de Saint-Yve.

— Non. Vous me demandez de retourner à Pluie-de-Loups.

A l'endroit où il était né pour la deuxième fois… Cette nuit-là, un large clan de vampires était arrivé dans la région à la recherche d'Asmos et de Camilla. C'étaient des chasseurs de démons, qui se nourrissaient de possédés et de familiers pour accroître leurs pouvoirs.

Son frère et lui avaient survécu à cette nuit-là, pour devenir des chasseurs de démons à leur tour. Sauf que Damien chassait pour le compte du Cadre, tandis que Nicholaï le faisait par soif de pouvoir.

— Ce qui nous inquiète le plus, c'est qu'on nous a signalé la présence de vampires dans les environs, expliqua Nica en pinçant les lèvres. Nous pensons que c'est l'essence d'Asmos qui les intéresse. Ils doivent poursuivre les loups. S'ils découvrent que les bêtes en ont après Emma, ils ne lui laisseront aucune chance. Nous allons envoyer une équipe pour les neutraliser. Cette famille n'a déjà que trop souffert… Combien de victimes ce démon va-t-il encore faire ?

Damien se passa la main dans les cheveux en soupirant. Avait-il vraiment le choix ? Pouvait-il refuser ce cas en toute bonne conscience ? Non. Cela le touchait de trop près. Il avait passé une bonne partie de sa jeunesse dans la forêt de Pluie-de-Loups et il connaissait les acteurs de la pièce. Pis : il en faisait partie.

— Très bien, c'est d'accord. Mais je vais procéder comme bon me semble.

— Ce qui veut dire ?

— N'envoyez pas d'équipe avant que j'aie repéré les vampires.

— Tu crois savoir de qui il s'agit ?

— Peut-être.

Il coupa la communication pour l'empêcher de deviner son inquiétude. Les vampires qui se nourrissaient de sang de démon étaient brutaux, insatiables et au bord de la folie. Malheureusement, il savait déjà qui dirigeait ce clan particulier.

Bienvenue chez toi, Damien…

Damien fit rugir le moteur de la Mercedes noire décapotable qu'il venait de s'acheter. Il adorait filer avec elle dans la campagne endormie en laissant le vent s'engouffrer dans ses cheveux. Il tourna en faisant crisser ses pneus pour s'engager dans l'allée bordée de hêtres et poussa un rugissement de jubilation. Peu de choses étaient encore capables de susciter en lui une véritable joie. C'était l'un des inconvénients de l'immortalité : tout devenait affreusement ennuyeux.

Les arbres de la forêt l'encerclaient comme des soldats sur le point de reprendre leurs terres. Il s'arrêta sur l'allée pavée qui faisait le tour du manoir. C'était une bâtisse impressionnante, construite au

XVIIIe siècle dans un style néogothique et flanquée de deux tours imposantes.

Dans sa jeunesse, c'était le plus grand domaine des environs. Le comte de Pluie-de-Loups inspirait la crainte et le respect, et tous les hommes rêvaient de sa fille Amélia.

A cette époque, Damien levait les yeux vers le manoir avec envie. Maintenant qu'il le contemplait en pleine décrépitude, il n'éprouvait plus que du dégoût. Il allait faire ce que lui demandait le Cadre. Il allait évaluer la situation, puis rechercher ces vampires en espérant contre tout espoir qu'ils n'étaient pas là pour l'essence d'Asmos — ou pour la fille McGovern.

En descendant de sa voiture, il ne put s'empêcher d'observer plus attentivement l'état de délabrement du manoir. L'une des deux lampes qui éclairaient le perron était cassée et l'autre se voyait à peine, tant ses verres étaient sales.

— Le vieux doit se retourner dans sa tombe, pouffa-t-il.

Le comte était un homme irascible qui n'aimait pas les gitans et s'amusait à les chasser de ses terres en lâchant ses chiens dans leurs campements. Il se souvenait encore d'une nuit où il pleuvait et de son rire qui avait résonné dans la nuit lorsqu'il avait lâché sa meute sur des enfants qui pleuraient de froid et de faim.

Et Nica croyait qu'il se souciait du destin des descendants du comte ? Si le manoir avait brûlé, il aurait apporté des saucisses pour faire un barbecue. Il ne devait rien ni à Nica ni au Cadre.

Alors pourquoi était-il là ? Cette question l'obsédait. Cherchait-il ses frères ou Asmos ? Voulait-il obtenir des réponses auprès des vampires ou retrouver l'excitation de la chasse ? A moins qu'il ne cherche simplement à donner un sens à son existence pathétique ?

Il contempla le vieux manoir et la forêt qui s'étendait tout autour. C'était là que tout avait commencé. C'était là qu'une gitane avait perdu son cœur et invoqué un démon primitif. Alors les vampires étaient venus pour s'offrir une part de Camilla et de son démon, et tout avait basculé dans l'horreur...

Les parents de Damien l'avaient retrouvé au milieu du carnage et conduit au Cadre dans l'espoir qu'il existait un remède contre la morsure de vampire. Bien entendu, le Cadre n'avait rien pu faire. S'il était né pour la seconde fois cette nuit-là, ses deux sœurs avaient été sauvagement mutilées et son frère abandonné au clan de leurs meurtriers.

Damien avait à peine fait quelques pas vers le manoir lorsqu'il entendit un bruit dans les buissons et prit brutalement conscience du silence surnaturel qui régnait autour de lui. Il étendit sa perception vampirique pour déceler les bonds des biches dans la forêt et les courses furtives des lapins, mais il ne semblait y avoir aucun animal à des lieues à la ronde.

Une forêt que n'animait aucun souffle de vie ? Asmos ne devait pas être loin. Damien, qui voyait parfaitement clair en pleine nuit, scruta le couvert des arbres sans découvrir les loups. Pourtant, une légère odeur de soufre flottait dans l'air, qui se rafraîchit subitement. Damien se figea.

Un loup gris sortit de derrière un arbre pour le

fixer de ses yeux rougeoyants. Un deuxième vint se placer à sa droite, puis un troisième à sa gauche. Il n'eut pas besoin de tourner la tête pour savoir qu'un autre se trouvait derrière lui. Restait-il encore la moindre part de loup en eux ? Se souvenaient-ils de l'époque où Camilla et lui étaient jeunes et nourrissaient les rêves des humains ?

Mais il savait bien que les amis de Camilla étaient devenus les vaisseaux d'Asmos et n'existaient plus que pour accomplir une dernière fois la malédiction d'une gitane au cœur brisé. Les loups s'assirent l'un après l'autre, levèrent leurs museaux vers le ciel et se mirent à hurler en hommage à leur maître Asmos, le démon de la colère.

Damien les contourna sans un bruit pour gravir le perron du manoir. Il leva le heurtoir de cuivre et le laissa retomber contre la porte massive qui était égratignée en plusieurs endroits.

Il faillit éclater de rire lorsqu'une gitane vint lui ouvrir. Comment le comte aurait-il réagi à cette farce du destin ? Ses yeux couleur de nuit s'écarquillèrent lorsqu'elle le vit. Savait-elle ce qu'il était ?

— Que voulez-vous ? lui demanda-t-elle en tirant la porte vers elle pour lui masquer l'intérieur.

— Je suis Damien Hancock, se présenta-t-il en lui tendant la main. Je suis l'agent du Cadre, et je désirerais voir Emma McGovern.

La femme parut surprise et hésita quelques instants, puis elle l'invita à entrer avec une évidente réticence en ignorant la main qu'il lui tendait. Il haussa les épaules, franchit la porte et admira la majestueuse entrée dallée de marbre. Il s'était toujours demandé à quoi ressemblait l'intérieur du manoir. La gitane l'invita du geste à entrer dans le salon, puis le quitta sans un mot.

Il la regarda s'éloigner à la dérobée. Cette bohémienne pratiquait les arts de son peuple, comme en témoignait la subtile odeur de sauge et de chèvrefeuille qui se dégageait de ses vêtements. Elle semblait avoir deviné sa nature au premier coup d'œil et l'avait pourtant invité à entrer. Intéressant...

Il pénétra dans une pièce circulaire aux murs tendus de soie bleu pâle sur lesquels étaient accrochés de vieilles photographies et des tableaux. Le plus grand de tous représentait une belle femme sur un cheval blanc — *Amélia*.

Tout comme son père, elle s'était montrée cruelle envers les gitans. Finalement, il y avait une certaine justice poétique dans le fait qu'elle ait survécu à la colère de Camilla pour produire une longue descendance torturée par une malédiction.

Comment Nica pouvait-elle croire qu'il s'en souciait ?

Il réprima un rire amer. L'occupante actuelle du manoir était-elle aussi égoïste que son ancêtre ? Il se souvenait de la manière dont Amélia plissait le nez quand elle le croisait avec ses amis. Elle était convaincue que sa peau de porcelaine la rendait supérieure à eux et trouvait leur peau mate — que disait-elle, déjà ? — *hideuse*...

Si la maîtresse actuelle du domaine partageait son opinion, il allait se faire un plaisir de lui imposer un spectacle désagréable, songea-t-il en souriant. Il s'arrêta ensuite devant un tableau qui représentait le comte, beaucoup plus âgé qu'à l'époque où il l'avait connu et visiblement atteint par la maladie.

Un frou-frou dans le couloir interrompit ses observations. Il se retourna pour voir apparaître une femme enveloppée dans d'innombrables couches de tissu vert. Il en perdit le souffle. Sa vision s'obscurcit et ses mains devinrent moites.

N'est-elle pas ravissante ? Vois ce regard brûlant et ces lèvres de la couleur du rubis… C'est une pêche mûre pour la cueillette. Mords donc dedans, Damien…

— Magnifique…, murmura-t-il en regardant la femme entrer dans la pièce.

Ses cheveux blonds étaient relevés en un chignon élaboré, mais quelques mèches s'en échappaient pour onduler sur sa gorge. Un appétit vorace s'éveilla au creux de son estomac et il éprouva un besoin presque irrépressible de laisser courir ses lèvres sur cette gorge, puis sa langue, avant d'y plonger ses canines pour se délecter de son sang.

Il se lécha les lèvres et sentit ses canines s'allonger. Il devinait presque son goût…

— Monsieur Hancock ? demanda une voix douce en brisant le fil délectable de ses pensées. Est-ce que vous allez bien ?

Il détourna la tête, abasourdi, et fit semblant de tousser jusqu'à ce que ses canines aient repris leur place naturelle. Son estomac était noué. D'où lui venaient ces pensées, ces désirs ? Il savait que la malédiction allait tenter de le pousser vers cette femme, mais pouvait-elle être aussi puissante ? Il inspira profondément pour retrouver son calme.

— Monsieur Hancock ? répéta Mlle McGovern.

Sa voix était douce comme la caresse d'une aile de papillon sur sa joue. Il tourna la tête pour contempler son visage, sa peau laiteuse, ses lèvres cerise et ses yeux bleus comme le ciel par une belle matinée d'été.

— Est-ce que vous vous sentez bien ? insista-t-elle en lui tendant la main. Vous êtes blanc comme un fantôme.

Il lui serra la main en s'émerveillant de la douceur de sa peau et de la délicatesse de ses gestes. Son cœur battit plus vite.

Non, lui répondit-il mentalement. *Pas un fantôme, un vampire… Une bête qui rêve de vous goûter…*

— Je vais bien, balbutia-t-il. Voues êtes Emma McGovern ?

Il devait se reprendre. C'était comme s'il n'avait plus aucun contrôle sur ses émotions, mais c'était absurde. Il était Damien Hancock, un adepte, un maître de l'occulte. Il n'allait pas être victime d'une stupide malédiction gitane après tant d'années d'entraînement…

— Oui, répondit Mlle McGovern en l'observant avec curiosité et inquiétude. Soyez le bienvenu au manoir de Pluie-de-Loups.

— Merci.

Il se racla la gorge pour se donner une contenance, puis lui offrit un sourire rassurant.

Lorsqu'elle se détourna, il se rendit compte avec une terreur soudaine qu'elle ne portait pas une robe, mais un jean. Contrairement à ce qu'il avait vu, ses cheveux n'étaient pas relevés sur sa tête. Ils étaient détachés et recouvraient tout un côté de son visage pour dissimuler… quelque chose.

Quelle magie pouvait altérer ses perceptions à ce point ? Tandis qu'il observait la jeune femme, il fut saisi d'un vertige et entendit un rire résonner dans sa tête. Asmos… Un *Daemon incultus* plus primitif et plus puissant que tous ceux qu'il avait affrontés jusqu'alors. Il n'y avait rien d'étonnant à ce que le Cadre l'ait choisi pour cette mission. Charles Lausen n'avait aucune chance contre une malédiction de cette puissance.

Il ne lui restait plus qu'à espérer qu'il aurait la force d'y échapper.

3

— Lucia ? appela Emma. M. Hancock apprécierait une tasse de thé et des biscuits.

La gitane apparut de nulle part pour lui jeter des regards furieux. Contrarié par son hostilité, Damien se raidit et songea un instant à la suivre dans la cuisine pour mordre dans son vieux cou tanné.

Horrifié par cette pensée, il glissa sa main dans sa poche pour caresser doucement la pointe du cristal et retrouver son centre. Il n'avait jamais bu une goutte de sang humain. C'était cette décision de rester pur qui avait fait de lui ce qu'il était : un adepte, le meilleur chasseur de démons du Cadre.

Mais il ne travaillait plus pour le Cadre et n'avait jamais été confronté à une magie aussi puissante. Il ne savait pas à quel point ce qu'il éprouvait allait encore s'aggraver, mais s'il ne retrouvait pas vite la maîtrise de lui-même, cette famille pouvait l'ajouter à la liste des menaces qui pesaient sur elle.

— Asseyez-vous, je vous en prie, lui dit Emma en indiquant le divan qui occupait le centre de la pièce.

Il hocha la tête et se dirigea vers le divan. Ni son vertige, ni les altérations de sa perception, ni sa voracité ne s'étaient calmés. Il ferma les yeux pour se concentrer sur sa respiration. Lorsqu'il crut avoir retrouvé la maîtrise de lui-même, un parfum de lavande l'étourdit subitement.

C'est son sang, Damien. Tu dois goûter son sang…

Il rouvrit les yeux pour découvrir Emma, qui l'observait avec inquiétude. Elle paraissait aussi vulnérable qu'elle était belle. Cette image éveilla en lui un besoin instinctif de la protéger.

Il voulut lui assurer qu'il allait bien, qu'il était venu pour l'aider… mais ses yeux tombèrent sur la dentelle de son chemisier qui enserrait délicatement sa gorge. Il se laissa fasciner par la veine qui palpitait sous sa peau et éprouva un besoin irrépressible de laisser courir sa langue à cet endroit. Il se pencha vers elle, le souffle court.

Lucia accourut dans le salon avec un grand plateau chargé d'un service à thé et d'un plat de biscuit, qu'elle posa bruyamment sur la table basse en noisetier. Elle s'empressa de servir le thé et lui mit une tasse dans les mains.

— Merci, murmura-t-il en approchant la tasse de ses lèvres avec un sourire.

La gitane poussa un soupir indigné avant de disparaître. Elle en savait beaucoup trop…

— Alors, comment le Cadre croit-il pouvoir nous aider, cette fois ? demanda Emma en sirotant son thé.

Ils ne peuvent pas, faillit-il répondre.

Il tâcha de se concentrer, mais leur discussion n'eut bientôt plus aucune importance. Damien voulait seulement qu'elle se tourne vers lui pour se perdre encore dans ses magnifiques yeux bleus.

Elle continua à siroter son thé, ce qui la dispensait de le regarder. A vrai dire, elle semblait faire exprès de ne pas tourner la tête. Que cachait-elle donc sous ses cheveux ? En regardant la lumière qui se reflétait sur ses mèches blondes, il ressentit le frisson de l'inconnu pour la première fois depuis d'innombrables années. Ce manoir était plein de mystères, de merveilles et de dangers…

Songe aux délices que te procurerait la caresse de ses cheveux sur ta peau nue…

Oui. Une part de lui se délectait de ces pensées coupables. Il contempla ses longs cheveux blonds en se retenant à grand-peine de les écarter doucement de sa gorge. Ce qu'il s'imaginait en train de faire avec elle éveilla son désir et le força à chercher une position moins inconfortable.

— Les choses se sont assez mal passées la dernière fois que le Cadre a envoyé quelqu'un pour nous « aider », ajouta-t-elle d'une voix plus dure.

— Je suis au courant, répondit-il en changeant encore de position. Ils me croient… différent.

— L'êtes-vous ?

Elle se redressa pour le fixer droit dans les yeux. Sa terreur était presque palpable, mais il y avait autre chose dans son regard… comme de la colère.

Il inspira profondément.

— Vous n'avez rien à craindre.

Il allait la protéger. De vilaines marques rouges apparurent entre ses mèches.

— Me permettez-vous ? lui demanda-t-il en tendant la main vers ses cheveux.

Elle se raidit mais le laissa les écarter de son visage.

Damien sentit la rage s'éveiller en lui lorsqu'il

découvrit les trois balafres rouges qui lui zébraient la joue, mais sa colère ne diminua en rien son besoin de la toucher.

— Que s'est-il passé ? l'interrogea-t-il d'une voix rauque.

— Des loups m'ont attaquée quand j'étais petite.

Il grimaça en repensant aux égratignures qu'il avait remarquées sur la porte. Les loups allaient revenir la chercher. Ils l'attendaient dehors — et elle était si vulnérable…

Protège-la, Damien. Elle n'a que toi.

Il se leva et se détourna d'elle pour faire taire la voix qu'il savait être celle d'Asmos. Il devait lutter contre son désir de la prendre dans ses bras et de lui faire l'amour pour apaiser ses craintes, parce que c'était exactement ce que le démon attendait.

— Le Cadre souhaiterait que je vous conduise au manoir de Saint-Yve, déclara-t-elle en se tournant vers elle. Vous y serez protégée. Mieux encore : vous pourrez y apprendre à vous défendre vous-même.

— Me défendre contre quoi ? lui demanda-t-elle en le défiant du regard.

Les hurlements recommencèrent. Emma frissonna, puis se leva pour aller regarder par la porte-fenêtre.

— Ce ne sont pas de simples loups, dit-il en s'efforçant de rester concentré sur ce qu'il avait à faire malgré la peur d'Emma qui le troublait.

C'est enivrant, n'est-ce pas, Damien ? Tu sens comme son cœur bat vite… Son sang doit être si doux… Une gorgée ne peut pas faire de mal… Si tu t'y prends bien, elle ne s'en rendra même pas compte. A vrai dire, elle devrait adorer ça…

Juste une gorgée ? Ses canines s'allongèrent. Il approcha dans son dos, leva la main vers son épaule et se pencha pour inspirer sa délicieuse odeur de lavande. Sa peau était si douce, si délicate…

— Je te trouve l'air fatiguée, Emma, déclara Lucia en entrant dans le salon. Monte donc prendre un bain chaud et te mettre au lit. Je vais m'occuper de ton père et de… ce monsieur.

Elle prononça ces derniers mots avec une grimace méprisante.

Damien recula et se tourna vers la cheminée. Avait-il vraiment failli la mordre ? Il avait résisté pendant deux siècles et demi pour manquer de succomber moins d'une demi-heure après son arrivée sous ce toit… La malédiction de Camilla et les machinations d'Asmos étaient d'une puissance redoutable, même pour lui.

— Monsieur Hancock ? s'inquiéta Emma.

— Je vous en prie, appelez-moi Damien, dit-il en se tournant vers elle, pour être de nouveau frappé par sa beauté et sa douceur.

Sa voracité se réveilla.

— Il se fait tard, et je ne vous ai rien proposé à manger…

Regarde la manière dont la lumière se reflète sur sa peau…

Son regard se posa sur sa gorge, où il pouvait voir sa veine palpiter sous sa peau fine et blanche. Ses canines le firent souffrir.

— Avez-vous faim ?

Je meurs de faim…

Il secoua la tête.

— Excusez-moi ?

— Puis-je vous offrir à dîner ?

— Non, répondit-il en reculant d'un pas. Je vous remercie. J'ai déjà dîné.

Il devait reprendre ses esprits. Pour la première fois de sa vie, il n'était pas certain de pouvoir contrôler sa soif et en comprenait pleinement la brutalité primitive.

— Je comprends que vous ayez des réticences à quitter votre maison, reprit-il, mais vous seriez beaucoup mieux à Saint-Yve.

Tout comme lui. Il ne pouvait pas rester plus longtemps entre ces murs.

Elle se retrancha derrière ses cheveux.

— Comment le Cadre pourrait-il savoir ce qui vaut mieux pour moi ?

Il ne put s'empêcher de s'approcher d'elle pour lui relever le menton et la forcer à soutenir son regard.

— J'en sais beaucoup plus que vous ne le croyez.

Emma écarquilla les yeux, puis écarta vivement la tête.

— Et moi, je crois que vous devriez partir, intervint Lucia.

— Je suis désolé.

Il s'écarta d'Emma, en proie à une vive contrariété. Pourquoi se souciait-il donc de ce que les loups lui avaient fait et de ce que projetait Asmos ? C'était la descendante du comte… d'Amélia !

Entends-tu le sang de ses ancêtres couler dans ses veines délicates ?

Damien se raidit. Il devait sortir de là au plus vite. Il était bien la dernière personne que le Cadre aurait dû envoyer pour « aider » Emma. Il ressentait trop profondément l'essence d'Asmos, comme si une fumée noire tourbillonnait autour de lui pour s'insinuer dans ses poumons et troubler ses pensées.

— Vous ne savez rien de moi, insista Emma. Vous ne m'avez vue que quelques minutes.

Il fit volte-face et n'aspira plus qu'à l'arracher à cet endroit.

— Je sais que vous avez peur de franchir ces portes. Vous craignez les habitants du village et les loups de la forêt. Vous ne pouvez pas passer votre vie entière à vivre dans la terreur, Emma. Il est temps de réagir. Venez avec moi !

Emma le fixa longuement. Comment pouvait-il savoir ce qu'elle ressentait alors qu'ils venaient à peine de se rencontrer ? Craignant de lui livrer son âme si elle le regardait plus longtemps, elle retourna se poster à la porte-fenêtre. Elle s'en écarta vivement en réprimant un cri lorsqu'un loup jaillit de nulle part pour y poser ses pattes avant.

Lorsque Damien lui effleura l'épaule, elle releva la tête et plongea son regard dans le sien.

— Tout va bien. Je suis là pour vous aider.

Etait-ce possible ? Une part d'elle aspirait désespérément à le croire.

— Le Cadre peut-il vraiment faire quelque chose pour nous ?

— Méfie-toi, Emma, chuchota Lucia.

Son avertissement fit écho aux réflexions qu'elle s'était faites en quittant la chambre de son père.

Celui-ci lui avait demandé d'accueillir poliment l'agent du Cadre, et elle l'avait fait. Elle n'avait pas à le suivre pour autant. Et s'il semblait étrangement la connaître, elle-même ignorait tout de lui.

Elle jeta un regard méfiant dans sa direction. Il l'observait avec une expression presque douloureuse. Ses longs cheveux noirs encadraient son visage. Ses épais sourcils et sa mâchoire carrée indiquaient une grande force de caractère. Mais c'était ses yeux qui la fascinaient le plus. Il la regardait comme s'il la connaissait depuis toujours.

Emma ramassa le plateau sur la table basse et le tendit à Lucia. Elle n'allait pas monter se coucher. Elle allait rester là, et tâcher d'en découvrir le plus possible sur cet homme. Parce qu'il avait raison sur un point : elle avait une décision à prendre.

— Ne t'inquiète pas, Lucia. Je peux me débrouiller toute seule, déclara-t-elle d'un ton sec en coupant court à toute protestation.

Lucia se redressa de toute sa hauteur pour quitter le salon. Lorsque Emma se retourna vers Damien, celui-ci avait la tête inclinée, comme s'il écoutait quelque chose et semblait inquiet.

— Vous ne pouvez pas rester ici, répéta-t-il. Vous allez devoir faire confiance à quelqu'un... Vous n'êtes pas de taille à affronter Asmos toute seule.

— Qui est Asmos ?

— Le démon qui anime les loups. Celui qui en a après vous.

Il lui fallut un long moment pour comprendre ce qu'il disait. Un démon ? Une terreur soudaine s'empara d'elle.

— Mais… je croyais qu'il s'agissait seulement d'une malédiction qui m'interdisait de connaître l'amour…

— Asmos est le démon chargé de l'accomplir. Il va essayer de vous inciter à tomber amoureuse. Il va chuchoter dans votre tête et aiguiser vos perceptions jusqu'à ce que vous n'aspiriez plus qu'à ressentir les caresses de l'être aimé…

Sa voix la troublait autant que ses paroles la terrifiaient. S'il disait vrai ? Comment pouvait-elle se protéger d'un démon ? Mais toutes ses craintes se dissipèrent lorsqu'elle prit conscience du parfum épicé de Damien.

Malgré elle, elle baissa les yeux vers ses lèvres et se demanda ce qu'elles lui feraient éprouver en se promenant sur sa peau.

Vas-y, Emma. Touche-le… Embrasse-le… Il est celui que tu attendais… C'est l'amour que tu craignais de ne jamais connaître…

Elle essaya de s'arracher à ces pensées mais fut saisie d'un vertige. Alors elle s'approcha de lui tout en parvenant à protester faiblement.

— Je ne peux pas partir. Mon père…

C'est ça, Emma. Tu ne dois pas partir. Vous devez rester ici ensemble. Lui aussi t'attendait…

Lorsque Damien lui prit la main, elle sut que la voix avait raison : ils étaient faits l'un pour l'autre. Et ils avaient attendu si longtemps de se rencontrer…

— Vous *pouvez* partir. Votre père nous accompagnera.

Sa voix était délicieusement apaisante, mais Emma n'écoutait pas vraiment ce qu'elle disait. Comment aurait-elle pu se concentrer sur ses paroles alors qu'il lui prenait doucement la main en lui donnant l'impression qu'on la touchait pour la toute première fois ?

Elle baissa les yeux vers ses doigts longs et puissants qui la caressaient avec assurance. Sa voix avait la douceur du miel et sa seule présence la faisait frissonner des pieds à la tête, comme si tous ses nerfs étaient exposés à l'air libre.

Alors elle plongea son regard dans le sien pour tâcher de deviner ce qu'il éprouvait. Ressentait-il ce lien qui existait entre eux ou son visage balafré ne lui inspirait-il que de la répulsion ? Elle fut surprise de découvrir de l'admiration, de la sincérité et du désir dans ses yeux.

Il te trouve magnifique, Emma.

Etait-ce possible ? Son regard l'hypnotisait. Elle mourait d'envie de toucher ses cheveux noirs et d'effleurer sa joue. L'avait-il ensorcelée ? Non. Elle n'était pas ensorcelée, mais maudite… par une gitane.

Ne succombe jamais à l'amour, Emma, promets-le-moi…

La supplication de sa mère résonna dans sa mémoire. En lui faisant cette promesse, elle n'imaginait pas avoir à lutter contre un désir aussi puissant. L'ascendance gitane de cet inconnu, qu'elle percevait dans son regard de braise, ne la troublait que davantage.

Emma baissa les yeux. Elle ne devait surtout pas s'abandonner à ses pulsions.

Vas-y, Emma ! Il te désire… Ne le ressens-tu pas ?

La voix était de plus en plus forte et lui disait

exactement ce qu'elle voulait entendre. Alors elle comprit que ce n'était pas une voix, mais l'expression de ses désirs les plus profonds. Elle avait fini par perdre la raison… C'était plus facile à accepter que l'hypothèse qu'un démon en voulait à son âme.

Elle s'arracha à ses pensées pour se détourner de Damien. Elle devait résister. Elle était assez forte pour ne pas se soumettre à… cet Asmos. Il le fallait, sans quoi la malédiction allait la frapper à son tour et elle périrait comme sa mère, et sa grand-mère avant elle.

— Pourquoi devrais-je vous faire confiance ?

Sa voix tremblait parce qu'elle mourait d'envie de se fier à lui et de croire qu'il existait un moyen d'échapper à ce cauchemar.

— Parce que vous n'avez pas d'autre choix. Vous êtes toute seule ici. Si vous ne m'écoutez pas, si vous ne me suivez pas à Saint-Yve, vous ne survivrez pas à l'équinoxe.

Cela éveilla sa méfiance.

— J'ai survécu aux vingt-cinq précédents… En quoi celui-ci est-il particulier ? Qu'est-ce qui me prouve que vous n'essayez pas de me faire peur ?

— Vous n'avez pas besoin de moi pour ça.

Il avait absolument raison sur ce point, mais elle n'était pas près de l'admettre.

Damien se dirigea vers la porte-fenêtre et inclina de nouveau la tête.

— Que se passe-t-il ? Avez-vous entendu quelque chose ?

Il se raidit, puis se tourna vers elle, le regard dur.

— Fermez bien vos portes et vos fenêtres cette

nuit, et ne laissez entrer personne d'autre dans le manoir, grogna-t-il.

— Pourquoi ? Qu'y a-t-il ?

Ses nerfs étaient déjà tendus à l'extrême. Elle n'avait pas besoin d'une surprise de plus.

— Je n'en suis pas sûr, grommela-t-il en recommençant à scruter les ténèbres.

Sa posture et les angles de son profil affolèrent l'imagination d'Emma.

— Allez vous reposer et réfléchissez à ma proposition, conclut-il. Demain, vous annoncerez à votre père que nous partirons pour Saint-Yve dans la journée.

Elle faillit éclater de rire. Avait-elle la moindre marge de liberté dans cette affaire ?

— J'en déduis que vous comptez passer la nuit ici…

— Si cela ne vous dérange pas…

Elle eut envie de rire de nouveau. Bien sûr, que cela la dérangeait — comme tous les autres aspects de cette histoire. Les hurlements reprirent, beaucoup trop proches à son goût. Elle sursauta, puis enroula ses bras autour de son torse. Peut-être la présence de Damien avait-elle quelque chose d'appréciable, finalement…

— Merci, répondit-elle d'une voix sèche. Je serai rassurée de savoir que quelqu'un me protège.

Tout en prononçant ces mots, elle perçut un éclat perturbant dans son regard. Venait-elle de commettre une erreur ? Aurait-elle mieux fait d'écouter Lucia ? Le Cadre était-il vraiment digne de confiance ?

Emma se dirigea vers l'escalier. Peu importait…

Elle n'avait pas d'autre choix. Personne d'autre ne la croyait en danger.

Et personne ne l'avait jamais regardée de cette manière, comme si elle avait de la valeur, comme si elle était... belle.

4

Emma monta dans sa chambre en se faisant d'amers reproches. Une idiote… Une adolescente enamourée, voilà ce qu'elle était ! Suffisait-il donc qu'un homme lui prête un peu d'attention pour qu'elle soit prête à faire n'importe quoi pour lui plaire ? Jusqu'à quel point était-elle donc capable de stupidité ?

Elle entra dans sa chambre, referma la porte derrière elle et s'y adossa en poussant un long soupir. Elle regarda toutes les choses qu'elle tenait pour acquises : son lit de bois précieux et son épais duvet de plume, le fauteuil à bascule tiré près de la fenêtre, la douce couverture bleue que sa mère avait faite pour elle au crochet. Cette nuit était-elle la dernière qu'elle allait passer chez elle ? Allait-elle obéir à Damien et l'accompagner à Saint-Yve ?

Ses yeux tombèrent sur le panier vide de sa chienne. Où était donc Angel ? Comment pouvait-elle dormir sans la savoir en sécurité dans sa chambre ? Et qu'allait-il se passer si elle partait ? Damien allait-il la laisser prendre Angel avec eux ?

Elle alluma la chandelle blanche de sa table de nuit et se dirigea vers la fenêtre. Elle leva les yeux vers la lune, puis se mit à scruter les abords du manoir en espérant voir la chienne. L'équinoxe d'automne approchait. Si elle pouvait tenir encore quelques jours, elle n'aurait plus à s'inquiéter avant l'année suivante.

Sauf que cela empirait. Année après année, ses cicatrices étaient plus douloureuses et les loups plus menaçants. Voulait-elle vraiment continuer à vivre ainsi, dans une terreur continuelle, en ne mesurant l'écoulement du temps que par le retour d'un unique événement ?

S'il y avait une chance pour que le Cadre lui apprenne à se défendre et lui donne le pouvoir de faire ses propres choix, ne devait-elle pas la tenter ? Même si cela impliquait de quitter Pluie-de-Loups ? Son estomac se noua à cette idée. Emma prit une profonde inspiration et tourna les yeux vers le labyrinthe qui s'étendait derrière le manoir.

Celui-ci avait fait la fierté et la joie de sa famille pendant de nombreuses générations. Elle avait cinq ans lorsque ses parents avaient quitté Londres pour s'installer à Pluie-de-Loups. Sa mère avait été immédiatement enchantée par la complexité et la beauté du labyrinthe. Toutes deux avaient passé des heures à tailler les haies pour lui rendre sa splendeur originelle.

Malheureusement, sa mère était morte avant d'avoir fini. Emma n'avait plus jamais remis les pieds dans le labyrinthe et s'était contentée de le regarder se dégrader, depuis cette fenêtre, nuit après nuit. Une grande fontaine ornée d'un chérubin qui pointait sa flèche vers le ciel en occupait le centre. Elle seule aurait pu encore l'aimer et en prendre soin…

Mais elle avait trop peur.

Elle posa son front contre la vitre et contempla le cimetière familial sur la colline. Les caveaux de ses ancêtres étaient envahis par les ronces et les pierres tombales brisées retombaient lentement en poussière. A la lumière de la lune, elle remarqua que la grande croix celtique qui dominait les autres avait dû s'enfoncer dans le sol et penchait maintenant sur le côté. Elle ne put s'empêcher de songer avec tristesse à sa mère enterrée là, au milieu des ronces et des fleurs fanées.

Ce cauchemar devait cesser. Elle allait reprendre possession de sa vie, même si cela impliquait de quitter Pluie-de-Loups. Tout valait mieux que cette existence. Elle lâcha le rideau, prit un gros morceau de craie dans le bol posé sur un guéridon près de la fenêtre et alla rafraîchir le cercle de protection que Lucia lui avait appris à tracer autour de son lit. Elle en fit trois fois le tour en priant la déesse Athéna de lui permettre de survivre une nuit de plus sans être victime des loups.

Sans être victime d'un démon… Elle en frémit. Cela n'aurait pas dû la surprendre. Le retour des loups, année après année, et l'éclat rouge de leurs yeux n'avaient rien de naturel. Le démon qui les commandait avait maintenant un nom : Asmos.

Elle saupoudra du sel devant la porte et sous les fenêtres pour être protégée pendant son sommeil. Elle avait accompli ce même rituel tous les soirs depuis la mort de sa mère, sans vraiment croire que cela pouvait l'aider. Cela ne l'avait jamais protégée des cauchemars, en tout cas… Mais elle n'avait pas le choix.

Maintenant qu'on lui proposait autre chose, aurait-elle le courage d'essayer ?

Emma posa le morceau de craie et se déshabilla en abandonnant ses vêtements sur le sol. Elle resta quelques instants immobile, nue à la lueur de la chandelle, puis trempa son petit doigt dans l'huile d'olive et traça par trois fois un cercle sur sa poitrine.

— Je vous en prie, protégez-moi des loups, murmura-t-elle avant d'inspirer profondément et de se glisser entre les draps. Protégez aussi Angel, pendant que vous y êtes, et ramenez-la-moi.

Elle laissa sa tête s'enfoncer dans l'oreiller en tâchant de ne penser ni à sa chienne ni à ce que le lendemain lui réservait. Mais des yeux au reflet métallique la troublaient et l'empêchaient de s'abandonner au sommeil. Le regard de Damien l'obsédait et lui donnait envie de se blottir dans ses bras… Mais allait-il la protéger ?

Elle devait le chasser de son esprit. Mais c'était difficile, alors qu'il était juste en dessous d'elle, si proche qu'elle aurait peut-être pu l'entendre si elle était parvenue à calmer les battements affolés de son cœur… Elle abattit son poing sur l'oreiller et se tourna sur le côté en regrettant de ne pas pouvoir prendre Angel dans ses bras.

Lui arriverait-il jamais d'avoir un homme dans son lit ? Connaîtrait-elle le bonheur de s'endormir bercée par la respiration de l'être aimé ? Elle ferma les yeux en soupirant. *Ne succombe jamais à l'amour, Emma, promets-le-moi…* Les dernières paroles de sa mère résonnèrent dans sa tête jusqu'à ce qu'elle sombre dans un sommeil agité.

Emma ne voulait pas le faire. Elle savait qu'elle n'en avait pas le droit mais ne pouvait pas s'en empêcher. Elle posa son petit pied sur la première marche de l'escalier qui menait au cellier obscur.

— Maman ?

Mais sa mère ne lui répondit pas.

Elle tourna la tête vers la cuisine. Peut-être ferait-elle mieux de retourner se coucher. Elle avait entendu sa mère se lever et l'avait suivie dans la cuisine pour lui demander un verre d'eau. Sauf qu'elle ne s'était pas arrêtée et s'était enfoncée dans les profondeurs obscures du cellier.

Emma s'appuya au mur et observa l'escalier branlant. Il y avait une ampoule allumée au-dessus de sa tête, mais elle n'éclairait pas beaucoup et les recoins étaient tout noirs. Elle détestait le cellier. Si les trolls des histoires que lui lisait Lucia existaient, c'était sûrement là qu'ils vivaient.

Ses lèvres se mirent à trembler. Elle en était capable. Elle y était déjà descendue avec sa mère, pour emprunter le passage secret qui débouchait dans le labyrinthe. Mais, même en tenant la main de sa mère, elle avait eu l'impression que l'obscurité cherchait à l'avaler.

— Maman ? appela-t-elle encore, un peu plus fort.

Elle entendit une voix étrange et sa mère éclater de rire. Elle posa la main sur la rambarde rugueuse en faisant attention à ne pas se planter une écharde sous la peau, et s'engagea dans l'escalier.

Le cellier sentait l'oignon. Emma fronça le nez. Elle

détestait cette odeur, mais elle était aussi mélangée à une autre, plus écœurante.

Elle hésita un instant avant de quitter l'escalier pour marcher sur le sol poussiéreux du cellier. Lucia allait la gronder quand elle la verrait revenir avec les pieds tout sales. En suivant la voix de sa mère, elle tourna le dos au passage secret, contourna les étagères où étaient entreposés les pots de confiture, l'ail, les oignons et les pommes de terre pour se diriger vers une autre pièce, plus grande, où la mauvaise odeur était plus forte.

Emma y devina des lueurs de bougies et fit quelques pas en se pinçant le nez. Noyée dans l'ombre, elle s'arrêta quelques instants pour jeter des regards inquiets autour d'elle. Tout était normal. Pourtant, lorsqu'elle scruta le recoin sous l'escalier, là où il faisait si noir, elle eut l'impression que quelque chose l'observait.

Elle étouffa un gémissement et recommença à suivre la voix de sa mère pour s'arrêter net en entrant dans l'autre pièce. Sa mère était en train d'embrasser M. Lausen. Elle poussait des soupirs bizarres et il semblait vouloir l'étouffer. Pis : ni l'un ni l'autre ne portaient de pyjama.

— Maman ? répéta-t-elle en avançant vers eux.

Un grognement sourd la pétrifia et la fit inspirer si fort qu'elle en eut mal dans la poitrine. Il y avait quatre loups dans la pièce. Elle était certaine que c'étaient des loups, et non des chiens, parce qu'elle en avait vu à la télévision. Sauf que ces loups semblaient méchants. Ils avaient l'air de vouloir la mordre... Les larmes lui vinrent aux yeux.

Sa mère se cambra en poussant un cri.

— Maman !

Mais sa mère ne l'entendait pas. Elle était occupée à griffer lentement le dos de M. Lausen. Celui-ci se redressa brusquement en grimaçant de douleur tandis que les griffures commençaient à saigner, puis embrassa sa mère plus fort.

Emma regarda les filets de sang couler sur son dos en se demandant pourquoi cela l'inquiétait si peu. Elle fit un pas prudent. Alors sa mère tourna la tête vers elle, mais quelque chose n'allait pas dans ses yeux. Emma était certaine de les avoir vus rougeoyer un instant.

Elle recula précipitamment, se cogna contre le mur et ne parvint plus à retenir ses larmes.

— Maman..., hoqueta-t-elle en essayant de reprendre son souffle.

Mais elle avait bien trop peur pour arriver encore à respirer ou à penser.

M. Lausen se redressa, leva la tête vers le plafond et poussa un hurlement assourdissant.

— Maman ! hurla Emma en se laissant glisser le long du mur.

Elle savait qu'elle aurait dû courir. Son instinct lui ordonnait de remonter dans la cuisine le plus vite possible, mais elle était bien trop terrifiée pour faire un geste. Alors elle replia ses jambes et enfouit son visage dans ses bras.

La fumée qui se dégageait des bougies et des bâtons d'encens lui brûlait les yeux et lui faisait mal aux poumons. Pourquoi n'était-elle pas dans son lit avec sa poupée ? Elle se mit à sangloter en priant pour que sa mère, son père ou Lucia l'arrache à cet horrible endroit.

Emma releva brusquement la tête en entendant sa mère crier. Elle saisit M. Lausen par les cheveux et lui trancha brusquement la gorge avec un couteau. Emma regarda avec horreur son sang gicler sur les murs en y traçant un vaste arc de cercle.

M. Lausen s'attrapa la gorge à deux mains tandis que son sang s'écoulait sur le sol pour y former une flaque qui grandit rapidement. Emma n'arrivait plus à s'arracher à ce spectacle.

Elle voulait détourner les yeux, mais craignait que la flaque n'en profite pour s'étendre jusqu'à elle.

Alors sa mère repoussa M. Lausen, qui ne bougeait plus, et se leva. Elle était nue, couverte de sang et un sourire méchant lui déforma le visage quand elle s'approcha d'elle.

Emma poussa un hurlement. Elle voulut reculer et se cogna encore, puis elle se mit à ramper le long du mur pour échapper à sa mère.

Alors les loups se levèrent pour hurler à leur tour. Retrouvant subitement ses esprits, Emma bondit pour courir vers l'autre pièce, l'escalier, la cuisine et son lit.

Mais elle n'alla pas bien loin.

— Emma ? appela sa mère d'une voix tout à fait normale.

Elle posait le pied sur la première marche de l'escalier quand elle s'arrêta pour tourner la tête. Sa mère était juste derrière elle. Mais ses yeux n'étaient plus normaux du tout. Ils étaient devenus rouges et bridés comme ceux des loups.

Avec un sourire terrifiant, elle attrapa Emma par le poignet en la serrant trop fort.

— Tu me fais mal, maman ! cria-t-elle en essayant de dégager son bras. Lâche-moi ! Maman !

Mais sa mère la serra encore plus fort pour l'entraîner loin de l'escalier et de Lucia... vers les loups.

Emma se redressa dans son lit, le cœur tambourinant dans la poitrine. Elle se massa le poignet gauche en ayant l'impression de sentir encore l'étau douloureux des doigts de sa mère, puis essuya ses joues inondées de larmes.

— Bon sang ! grommela-t-elle avant d'inspirer profondément pour tâcher de se calmer.

Après l'avoir laissée en paix pendant de longues semaines, voilà que ce cauchemar revenait la hanter pour la troisième nuit consécutive.

Elle devait penser à autre chose... à quelque chose de joyeux. Il n'était pas possible qu'elle se rendorme avec ces images de sa mère à l'esprit. Elle ne voulait surtout pas replonger dans ce cauchemar.

Pense à Damien, Emma.

La voix réveilla les impressions que lui avaient laissées le regard brûlant de Damien et la douceur de ses gestes.

Elle posa les pieds par terre et fixa le panier vide d'Angel sous la fenêtre. D'habitude, quand elle faisait un cauchemar, sa chienne était là pour lui lécher le visage et la rassurer... Mais Angel n'était pas là. Emma s'efforça de ne penser ni à sa mère ni à l'endroit où pouvait se trouver sa chienne.

Alors elle s'autorisa à songer à Damien. Même si elle savait ces pensées dangereuses et suggérées par la malédiction, elle ne put s'empêcher de s'imaginer blottie dans ses bras. Quel bonheur ce devait être d'avoir un homme auprès de soi pour dissiper ses cauchemars…, songea-t-elle en soupirant.

Emma se recoucha, ferma les yeux et se concentra sur sa respiration. Elle s'imagina flotter sur un nuage blanc baigné de soleil. Alors qu'elle s'apaisait et sentait le sommeil approcher de nouveau, un faible gémissement la fit tressaillir. Elle se raidit aussitôt et rouvrit les yeux.

— Angel ?

Emma se redressa pour tendre l'oreille et perçut un nouveau gémissement d'animal apeuré. Sa petite chienne était dans les environs, seule et terrifiée… Emma bondit hors du lit, se précipita vers la porte et l'ouvrit le plus doucement possible en espérant découvrir Angel dans le couloir. Mais sa chienne n'était pas là et ses gémissements s'éloignèrent. Emma referma la porte pour courir vers la fenêtre.

A la lumière de la lune, elle aperçut une petite forme blanche blottie au cœur du labyrinthe.

— Angel !

La terreur la saisit aussitôt. Emma enfila sa robe et se précipita dans le couloir, puis dans la cuisine. Alors qu'elle posait la main sur la poignée de la porte du jardin, elle se figea en voyant les loups à travers la vitre. Ils étaient là tous les quatre, assis à quelques pas de la porte.

L'attendaient-ils ?

Un nouveau gémissement leur fit dresser les oreilles et tourner la tête vers le labyrinthe.

— Bon sang !

Comment allait-elle sortir ? Le plus grand des loups se leva.

— Tais-toi, Angel ! murmura-t-elle.

Elle songea un instant à sortir par la porte d'entrée pour faire le tour du manoir, mais cela allait lui prendre trop de temps et les trois autres loups risquaient de l'attaquer. Elle tourna la tête vers la chambre de Lucia, au bout du couloir. Devait-elle lui demander de l'aide ? Mais Lucia allait sans doute lui répondre qu'Angel ne courait aucun risque et qu'elle avait tort de s'inquiéter.

Sauf que Lucia ne pouvait pas en être sûre... Le danger était trop grand. Même si elle savait à quel point elle se montrait imprudente, Emma ne supportait pas l'idée de laisser sa chienne toute seule dehors avec cette... chose. Elle se tourna de nouveau vers la porte et observa le jardin en se demandant quoi faire.

Le plus grand des loups avait déjà atteint le labyrinthe et les trois autres la fixaient.

Emma tourna lentement la tête vers la porte du cellier. Au-delà de cette porte, il y avait un passage secret qui menait au labyrinthe. Son estomac se noua. Elle devait rassembler son courage et affronter les ténèbres... C'était le seul moyen.

Elle avança vers la porte, la poitrine oppressée. Elle n'était pas retournée dans le cellier depuis cette nuit lointaine où sa mère était morte et où elle s'était retrouvée seule avec les loups. Saisie d'une sueur froide, elle hésita devant la porte. Mais elle n'avait pas le choix… Si elle ne surmontait pas sa peur, sa chienne, la seule véritable joie de son existence, allait être taillée en pièces par les loups. Elle devait l'empêcher…

Emma appuya sur le panneau qui déclenchait l'ouverture de la porte et recula lorsque celle-ci se détacha du mur. Le cœur tambourinant dans sa poitrine, elle plongea son regard dans les ténèbres et agrippa la rambarde. Pourtant, elle fut incapable de poser le pied sur la première marche. Quelque chose en elle lui hurlait de s'arrêter, de trouver un autre moyen, d'oublier sa chienne…

Mais elle n'en avait pas le droit. Angel n'était pas n'importe quelle vieille chienne. C'était sa compagne de toujours, celle à qui elle avait confié ses rêves et ses secrets… Elle n'allait pas l'abandonner. Tout allait bien se passer… Il n'y avait pas de monstre tapi dans le cellier, prêt à se jeter sur elle.

Emma reconnut subitement l'odeur qui l'avait tracassée quelques heures plus tôt. C'était l'un des encens de Lucia. Il n'y avait vraiment pas de quoi s'inquiéter…

Elle posa le pied sur la vieille marche grinçante, retrouva à tâtons la chaîne de l'ampoule et alluma. Celle-ci n'éclairait pas grand-chose, mais Emma repéra une lampe de poche posée sur une étagère au pied de l'escalier et s'empressa de la saisir.

La pièce de ses cauchemars se trouvait sur sa gauche. Ces atrocités s'étaient-elles vraiment produites ? Elle ne pouvait pas en être certaine. Elle se rappelait seulement s'être réveillée à l'hôpital pour apprendre que sa mère était morte. On lui avait expliqué qu'elles avaient été attaquées par une meute de chiens errants.

Mais Emma savait qu'il n'y avait jamais eu de chiens errants. C'étaient ces mêmes loups.

Elle se détourna de la pièce pour s'engager dans le couloir qui s'ouvrait sur sa droite et passait sous le manoir. Mieux valait qu'elle ne pense pas trop à ce qui avait pu se passer cette nuit-là. Les médecins lui avaient assuré que son esprit avait de bonnes raisons de refouler ces souvenirs. Pourtant, elle ne pouvait s'empêcher de croire que ses cauchemars allaient cesser si elle retrouvait la mémoire...

Quelques instants plus tard, le couloir devint plus étroit et l'air s'alourdit d'une odeur de terre humide. Elle avait souvent emprunté ce passage avec sa mère quand elle était petite. Elle n'avait rien à craindre...

Malheureusement, toutes ses pensées raisonnables n'empêchaient pas la terreur de lui nouer l'estomac. Elle avançait lentement, en tendant l'oreille et en balayant du faisceau de sa lampe les murs de terre renforcés par des étais. Lorsqu'elle atteignit enfin le bout du passage, elle avait perdu tout sens des distances.

Emma se retrouva devant six ou sept barres d'acier plantées dans le mur de terre pour former une échelle et dirigea le faisceau de sa lampe vers la trappe à laquelle elles permettaient d'accéder. Celle-ci était petite et vermoulue. Ce tunnel avait probablement été creusé dès la construction du manoir, pour permettre à ses occupants de s'échapper en cas d'attaque extérieure.

Il y avait tant de choses qu'elle ignorait sur sa famille…, songea-t-elle en gravissant l'échelle. Elle atteignit la trappe et tira sur son verrou rouillé, qui protesta un long moment avant de céder.

Quand elle en eut triomphé, elle repoussa la trappe, qui retomba hors de sa portée, et se hissa dans un petit espace circulaire. Alors elle se souvint. Elle se trouvait à l'intérieur de la fontaine au chérubin, au cœur du labyrinthe. Elle tira sur un autre verrou, ouvrit une petite porte à la base de la fontaine, rampa dehors et entendit aussitôt un nouveau gémissement.

— Angel ! chuchota-t-elle.

Un bruit dans les feuillages lui répondit. Emma fit le tour de la fontaine et aperçut sa chienne, qui tremblait au clair de lune sous une haie. Le soulagement lui fit venir les larmes aux yeux.

Elle se précipita vers Angel, la tira de sa cachette et la serra contre son cœur.

— Mais qu'est-ce que tu fais là ? murmura-t-elle à la chienne qui lui léchait le visage en remuant frénétiquement la queue.

Ses démonstrations d'affection la firent sourire malgré son inquiétude.

— Tout va bien, dit-elle doucement pour les réconforter l'une et l'autre tout en caressant prudemment Angel afin de s'assurer qu'elle n'était pas blessée.

Elle n'eut pas le temps de finir son examen sommaire et de regagner la fontaine. Un loup jaillit soudain d'un détour du labyrinthe pour se planter devant elle. Emma serra Angel encore plus fort par réflexe.

Le loup la fixa de ses yeux rouges et avança lentement vers elle tandis qu'elle reculait, terrorisée, vers la fontaine.

— Que me veux-tu ? chuchota-t-elle avec le vague espoir que le son de sa voix ferait hésiter l'animal.

Cela n'eut aucun effet.

Malgré la panique qui l'incitait à s'enfuir à toutes jambes, elle se força à reculer lentement sans quitter le loup des yeux. Non seulement la bête était plus rapide qu'elle, mais l'ouverture du passage était trop étroite pour qu'elle s'y précipite la tête la première.

Elle parvint à garder son calme jusqu'à ce que son pied heurte le socle de marbre de la fontaine. Puis elle se laissa glisser à l'intérieur du souterrain à reculons en sachant pertinemment qu'elle se rendait ainsi encore plus vulnérable.

Le loup s'approcha, gueule ouverte, pour lui souffler son haleine fétide au visage. Elle fit la grimace tandis qu'Angel s'agitait dans ses bras pour échapper à la bête. Pourquoi le loup n'attaquait-il pas ? Pourquoi se contentait-il de la fixer ?

Emma laissa ses jambes pendre par la trappe, puis elle se laissa tomber dans le vide pour atterrir lourdement au fond du passage secret. Elle s'empressa de lâcher Angel et de remonter à l'échelle pour fermer la trappe. Le loup, qui avait passé sa tête à l'intérieur de la fontaine, la fixa de nouveau. Elle tira brutalement sur la trappe et se battit un long moment contre le verrou rouillé pour le remettre en place.

Lorsqu'elle y parvint enfin, elle poussa un soupir de soulagement, redescendit l'échelle et s'assit par terre. Elle fixa longuement la trappe avant d'acquérir la certitude que le loup ne pouvait pas l'ouvrir et de sentir son cœur se calmer un peu. Alors elle ramassa la lampe de poche, prit Angel dans ses bras et repartit vers la cuisine.

5

— Je vous ai entendu dire à Emma que vous comptiez rester pour la nuit, lança Lucia à Damien en ayant l'air de ne pas y croire.

— C'est mieux ainsi, non ? commenta-t-il en allant se poster à la fenêtre parce qu'il venait d'entendre les loups s'éloigner subitement du manoir.

Par quoi étaient-ils donc si intéressés ?

— Je ne vois vraiment pas en quoi votre présence peut nous aider, grommela Lucia. Pourquoi ne revenez-vous pas demain ? Nous nous en sortirons mieux sans agent du Cadre entre ces murs...

— Mlle McGovern m'a demandé de rester, répondit distraitement Damien en étendant sa perception.

Son frère Nicholaï et sa bande n'étaient pas loin.

— Emma voulait seulement se montrer polie, répliqua Lucia. Mais elle ne sait pas ce qui est bon pour elle...

— Vous croyez vraiment pouvoir faire mieux toute seule ? lui demanda-t-il, agacé par ses sous-entendus.

— Je m'en suis plutôt bien sortie pendant toutes ces années...

— Mais vous n'avez pas su empêcher la mort de sa mère, lui rappela-t-il en se tournant pour lui faire face. Qu'est-ce qui vous fait croire que vous allez réussir à sauver Emma ?

La tristesse troubla un instant le regard de la gitane.

— Rien ne se serait passé si l'agent du Cadre n'était pas venu… C'est lui qui a permis à la malédiction de s'accomplir. Audrey et lui…

Elle secoua la tête avec amertume.

— Sans l'intervention du Cadre, la mère d'Emma serait encore en vie, conclut-elle.

Damien était bien forcé de comprendre son point de vue.

— Comment cet agent est-il mort ? l'interrogea-t-il.

— Audrey l'a tué. Elle n'a pas pu s'en empêcher, malgré tout l'amour qu'elle avait pour lui. La malédiction a triomphé d'eux.

— Et le père d'Emma ? poursuivit-il en l'invitant du geste à s'engager avant lui dans le couloir.

Il voulait atteindre l'arrière du manoir pour voir ce qui avait pu attirer les loups. Il les entendait toujours fureter et sentait de plus en plus nettement la présence des vampires.

— Audrey ne l'a jamais aimé, chuchota Lucia en pointant son doigt vers le plafond. Ne vous méprenez pas : elle se souciait de lui… Mais leur union était une sorte d'arrangement, comme la plupart des mariages dans cette famille. Ceux qui ne l'étaient pas… ont mal fini.

Elle secoua la tête avec tristesse.

— Ah…, murmura-t-il sans l'avoir vraiment écoutée.

Son attention était tournée vers les vampires, dont il sentait la soif et l'impatience.

— Comme je vous l'ai dit, reprit Lucia en entrant dans la cuisine, Audrey et M. McGovern auraient pu vivre paisiblement à Pluie-de-Loups si le Cadre ne s'en était pas mêlé. Alors tout le monde aurait pu oublier la malédiction.

Damien s'adossa au mur.

— Et Emma n'aurait pas été attaquée par les loups, murmura-t-il. Elle aurait eu une enfance heureuse et aurait pu faire des études, avoir des amis, trouver l'amour…

— Vous croyez que ça ne lui manque pas ? Je l'entends pleurer toutes les nuits… Mais elle est prévenue.

— Comme sa mère ?

Tandis que Lucia se détournait de lui, la gravité de ses paroles s'imposa à son esprit. Tous les membres de cette famille avaient été condamnés à mener une existence sans amour. Une douleur familière lui étreignit le cœur. Sa vie n'était guère différente de la leur… Mais il était bien placé pour savoir qu'il valait mieux parfois se dispenser des complications que généraient les émotions.

Damien traversa la cuisine pour observer le jardin. Son regard se posa sur le cimetière familial en haut de la colline. Il était entouré d'une barrière en métal rouillé et d'épais buissons de ronces. En son centre, un ange aux ailes abîmées et noircies par les ans levait son visage vers le ciel.

Alors il vit des silhouettes se détacher des troncs des vieux chênes pour se mettre à sauter de tombe en tombe, trop vite pour qu'un être humain puisse les voir. Leur danse macabre le fascina quelques instants.

Lucia retira son tablier et alla le suspendre à un clou planté dans la porte d'un placard.

— Mais ce qui est fait est fait, reprit-elle. Vous êtes venu et nous ne pouvons plus rien y changer, ni l'un ni l'autre... A présent, la seule chose qui compte est de sauver Emma.

— C'est la mission que m'a confiée le Cadre, grommela-t-il.

Malgré sa moue sceptique, il vit une lueur d'espoir briller dans le regard de la gitane.

Alors qu'elle se tournait vers l'escalier, une porte secrète s'ouvrit dans le mur derrière elle et Emma entra dans la cuisine en robe de chambre tachée. Elle avait des toiles d'araignées dans les cheveux, de la terre sous le menton et serrait dans ses bras un petit chien sale qui se mit aussitôt à aboyer. Elle écarquilla les yeux.

— Mon Dieu ! s'écria Lucia en posant une main tremblante sur sa poitrine. J'ai bien failli faire une crise cardiaque ! Mais que faisais-tu en bas ?

— Je suis désolée, murmura Emma en les contournant précipitamment. Angel était enfermée dans le cellier.

Dubitative, Lucia la regarda remonter à l'étage sans dire un mot.

Damien observa Emma jusqu'à ce qu'elle disparaisse en se demandant ce qu'elle venait de faire, puis se tourna vers la porte restée entrebâillée. De toute évidence, Lucia ne pensait pas qu'elle était allée chercher son chien.

Damien suivit la gitane dans l'escalier et décida d'attendre qu'elle regagne sa chambre pour redescendre chercher Nicholaï et en apprendre plus sur le clan de vampires dont Nica lui avait parlé. Puisque le Cadre était informé de leur présence, il ne faudrait pas longtemps avant qu'une équipe d'intervention ne débarque à Pluie-de-Loups.

Or, il ne pouvait pas laisser Nicholaï tomber entre les mains du Cadre. Même s'ils ne s'étaient pas revus depuis leur transformation, Damien savait parfaitement quel sort on réservait aux vampires et ne voulait pas que son frère le connaisse.

Lucia le précéda dans un long couloir tapissé de soie dorée ornée de petites fleurs de lys au-dessus de grands panneaux de bois sombre. Elle s'arrêta un instant pour écouter à une porte close. Damien tendit l'oreille et entendit Emma réconforter son chien — si ce gros rat méritait d'être qualifié de chien, songea-t-il en souriant.

Après quelques instants, Lucia se remit en route pour aller ouvrir la dernière porte sur la droite.

— Est-ce que ça vous convient ? lui demanda-t-elle en entrant dans la chambre.

Damien l'y suivit et contempla les rideaux de brocard dorés assortis au couvre-lit. Il y avait une grande armoire près de la fenêtre qu'il allait facilement pouvoir glisser devant pour arrêter les rayons du soleil.

Il y était moins sensible qu'autrefois et avait souvent la tentation de sortir en pleine journée pour éprouver l'endurance de sa peau. Etait-il assez âgé pour survivre à l'expérience ou allait-il s'embraser comme de jeunes vampires qu'il avait vus échouer à trouver un refuge avant le lever du jour ? Comme il aurait aimé passer une heure au soleil pour redécouvrir sa caresse sur sa peau... Mais peut-être ne le désirait-il que parce que cela lui était interdit. Tant de choses lui manquaient : l'espoir, le soleil, l'amour, le doux optimisme des humains et leur certitude que le bien allait toujours triompher...

— Ce sera parfait, répondit-il. D'ailleurs, ce n'est que pour cette nuit... Emma et moi partirons pour Saint-Yve demain soir.

Lucia fit une grimace réprobatrice. Elle le fixa pendant de longues secondes comme si elle voulait ajouter quelque chose mais finit par quitter la chambre en silence. Il referma la porte derrière elle et écouta ses pas s'éloigner. Lorsqu'il fut certain de ne plus tomber sur elle, il redescendit dans la cuisine et se dirigea vers la porte du jardin.

Emma observa son reflet dans le miroir en pied qui se dressait dans un coin de sa chambre et constata qu'elle était encore rouge d'embarras. Elle ne s'attendait pas à trouver quelqu'un dans la cuisine, et encore moins Damien.

Dire qu'elle s'était montrée à lui dans cet état... Elle en mourait de honte. Sans cesser un instant de songer à Damien, Emma retira sa robe de chambre sale et prit une douche bouillante pour se débarrasser des toiles d'araignées. Elle n'avait jamais rencontré d'homme comme lui. Bien sûr, elle avait peu d'expérience dans ce domaine... mais aucun de ceux qu'elle connaissait n'avait son assurance.

Il lui donnait l'impression d'être capable de tout. L'apparition du loup à la fenêtre du salon ne l'avait même pas fait tressaillir. L'attirance qu'elle éprouvait pour lui la terrifiait et elle ne pouvait qu'espérer être capable de la lui cacher. Pourquoi un homme aussi valeureux que lui s'intéresserait-il à elle ? Que pourrait-il trouver à une pauvre fille qui avait passé sa vie entière terrée dans un manoir en ruine ?

Emma coupa l'eau, se sécha et retourna se coucher. En contemplant Angel roulée en boule dans son panier, elle ne put s'empêcher de se demander si elle était condamnée à n'avoir que des petits chiens pour compagnons.

Elle se blottit dans son lit en s'efforçant de ne pas penser à Damien, dans la chambre voisine. Mais c'était plus fort qu'elle. La comprenait-il aussi bien qu'il en avait l'air ? Se pouvait-il qu'il pense à elle à cet instant ?

Arrête tout de suite ! s'ordonna-t-elle.

Elle se comportait comme une collégienne écervelée. Elle chassa Damien de son esprit et se concentra sur la flamme de sa chandelle, mais ne put s'empêcher de repenser à lui tandis que sa respiration s'apaisait.

Elle pouvait presque le sentir lui caresser la peau et s'abandonna à son fantasme en soupirant. Une légère pression sur ses lèvres la fit sourire. Il l'embrassait en l'agaçant du bout de la langue.

Ses caresses étaient douces, presque hésitantes. Ses doigts glissèrent de sa joue vers sa gorge et sa poitrine en la faisant frissonner. Il l'embrassa de nouveau en caressant la pointe sensible de ses seins, et ses gestes gagnèrent peu à peu en assurance tandis qu'elle s'embrasait.

Alors elle se cambra pour réclamer davantage. Elle pouvait s'abandonner à lui, puisqu'il ne s'agissait que d'un rêve… Pourtant, ses sensations délicieuses lui semblaient étrangement réelles.

Il l'embrassa encore, avec plus d'insistance. Elle emmêla ses doigts dans ses longs cheveux noirs, tressaillit en le sentant glisser sa main entre ses cuisses et ne put s'empêcher de gémir lorsqu'il se mit à explorer ses replis les plus intimes.

Quelque chose de lourd et de doux pesa contre son ventre, puis se glissa en elle. Elle poussa un profond soupir et se mit à frissonner en le sentant bouger de plus en plus vite. La pression qu'il exerçait en elle lui faisait perdre la tête. Elle agrippa ses draps et se cambra pour amplifier ses sensations.

Elle ne tarda pas à transpirer et cria en le sentant atteindre un point particulièrement sensible. Alors il insista jusqu'à l'emporter dans un tourbillon de plaisir.

Elle ouvrit les yeux en poussant un nouveau cri.

Il n'y avait personne avec elle.

Damien sortit par la porte de la cuisine et emprunta une allée gravillonnée qui menait à un jardin anglais sur lequel la nature avait repris ses droits. Il longea un labyrinthe dont les haies n'avaient pas été taillées depuis une éternité et continua jusqu'à la lisière de la forêt.

Au fil des ans, Damien avait rencontré d'autres vampires, qui l'avaient parfois invité à se joindre à leur clan. Jugeant leurs excès morbides et égoïstes, il avait toujours refusé. Ceux qu'il connaissait n'étaient curieux de rien et ne songeaient qu'à se nourrir et à faire l'amour. Malgré cela, il ne pouvait s'empêcher d'espérer que ce clan serait différent. Il s'était juré que cette mission serait la dernière et aspirait à trouver sa véritable place en ce monde. Si seulement le Cadre pouvait s'être trompé sur son frère… Rien ne lui aurait fait davantage plaisir que de renouer avec Nicholaï.

Damien ne perçut d'abord qu'un léger bruit, mais le distingua de plus en plus nettement en se concentrant. C'étaient des voix d'hommes et de femmes qui riaient et murmuraient… Mais il découvrit vite quelque chose de plus inquiétant : le nom d'Emma McGovern ne cessait de revenir dans leurs conversations.

Il s'en alarma aussitôt. Alors l'odeur puissante et parfumée du sang l'enveloppa en réveillant sa soif. Il en sentait presque le goût sur sa langue et fut saisi d'atroces crampes d'estomac.

Il avait trouvé les vampires.

Damien se hâta en direction de leurs rires et des bruits de leur réunion, et ne tarda pas à distinguer un feu de bois entre les buissons.

Il avança furtivement en prenant garde à ne pas trop s'approcher de leur camp, puis il prit une profonde inspiration pour retrouver sa clarté mentale et se soustraire à leur perception. A vrai dire, il avait surtout besoin de se distraire de la soif de sang qui le dévorait.

Tout en se concentrant sur sa respiration, il s'imagina au soleil au milieu d'un champ de blé dont les épis se balançaient sous la brise, puis convoqua l'image mentale d'un nuage pourpre qui l'enveloppait. Il était plus fort que la soif et invisible aux vampires. Lorsqu'un calme familier l'envahit, il sut qu'il avait retrouvé la maîtrise de lui-même.

Il avança sans un bruit en prenant bien garde à ne pas laisser vaciller ses barrières mentales. Mieux valait qu'il reste discret tant qu'il ignorait à qui il avait affaire. Quel genre de vampire son frère était-il devenu ? S'était-il vraiment corrompu en se nourrissant d'essence de démon, comme le Cadre le prétendait ?

Damien se dissimula derrière le tronc d'un arbre pour observer trois gitanes aux jupes vivement colorées en train de danser autour du feu. Le son des grelots attachés à leurs chevilles accompagnait la musique que deux hommes jouaient à la guitare et leurs bras ondulaient au-dessus de leurs têtes. La musique était envoûtante et leur danse une invitation à l'amour.

Il n'avait pas vu danser de gitanes depuis bien longtemps et se laissa fasciner par ce spectacle. L'air embaumait l'encens et il n'avait aucun mal à se croire revenu en 1761, ni à imaginer que Camilla était l'une de ces danseuses qui usaient de leurs charmes pour vider les poches des nobles anglais.

— Damien.

La voix familière résonna à ses oreilles juste avant qu'il ne sente un souffle chaud sur sa nuque. Il fit volte-face. Nicholaï se tenait devant lui. Ses yeux reflétaient étrangement la lumière du feu et son sourire avait quelque chose d'inquiétant, mais il était exactement le même que la dernière fois qu'il l'avait vu, dans cette même forêt deux siècles et demi plus tôt.

— Salut, frérot, ajouta Nicholaï.

Damien voulut lui répondre, mais une vieille émotion lui serra la gorge. Nicholaï dut lire sa joie dans ses yeux, parce qu'il ouvrit les bras pour le serrer contre son cœur.

— Je me suis toujours demandé ce que j'éprouverais en te retrouvant, murmura Damien.

Nicholaï éclata de rire.

— Où étais-tu pendant tout ce temps ? lui demanda Damien. J'ai entendu bien des rumeurs, mais je n'ai jamais pu être sûr de rien…

— Je pourrais te demander la même chose, mon cher frère ! Sauf que je connais déjà la réponse. Tout le monde a entendu parler de Damien, le chasseur de démons. Ta réputation te précède…

— Vraiment ?

Le ton de son frère avait immédiatement éveillé sa méfiance. C'était celui qu'il employait, dans leur enfance, lorsqu'il voulait lui lancer un défi.

— Alors, es-tu venu chasser Asmos ? l'interrogea Nicholaï.

Damien se raidit. C'était bien l'essence du démon que recherchait ce clan… Il se souvint de les avoir entendus prononcer le nom d'Emma et perdit tout espoir de réconciliation chaleureuse.

— Est-ce que ça t'intéresse vraiment ? demanda-t-il à son frère.

— Je ne serais pas là si ce n'était pas le cas.

— Tu m'attendais, alors ?

— J'espérais…, répondit Nicholaï avec un sourire fraternel que contredisait l'éclat de son regard.

— C'est bon de te revoir, Nicholaï, dit Damien en espérant ne pas avoir tort de lui tendre la main. Comme je te le disais, j'ai entendu des rumeurs, mais je n'ai jamais vraiment su…

— Non, tu ne l'as pas su. Nos parents t'avaient emporté dans la nuit, toi, leur fils chéri, pour te conduire à ce château dans le sud…

— Tu connais le manoir de Saint-Yve ? lui demanda Damien, que cela n'aurait pourtant pas dû surprendre.

— Nous en avons entendu parler et l'avons cherché en vain bien des fois. Nous n'avons fait que rencontrer des fées vicieuses dans la forêt. Mais peut-être accepteras-tu de nous faire visiter ta nouvelle demeure.

— Pourquoi ?

Damien était de plus en plus sur ses gardes. Pourquoi son frère s'intéressait-il à un ordre qui pourchassait les créatures surnaturelles ? Avait-il la moindre idée des risques qu'il courait en s'approchant du manoir ?

— Les secrets du temps et de l'espace se cachent entre ces murs, mon cher frère… Ça et bien d'autres choses.

Damien songea aux vampires qui y étaient emmurés et aux milliers de démons que les membres de l'ordre avaient capturés dans des cristaux au fil des siècles. De toute évidence, Nicholaï se nourrissait d'essence de démon, comme leur créateur. Si cette pratique augmentait les pouvoirs des vampires, elle pervertissait aussi leurs esprits et les rendait brutaux.

Le donjon du manoir de Saint-Yve était rempli de cristaux qui contenaient des démons. C'était une véritable mine d'or pour les vampires de l'espèce de son frère.

— C'est étrange, je n'ai rien vu de tel pendant les deux siècles que j'y ai passés, répliqua-t-il.

— Tu n'as peut-être pas cherché au bon endroit, le taquina Nicholaï en lui donnant une grande claque dans le dos. Mais nous allons pouvoir visiter Saint-Yve ensemble, maintenant que nous nous sommes retrouvés... Viens ! Je vais te présenter les autres.

Damien sentit un frisson le parcourir. Nicholaï voulait-il le forcer à l'aider à entrer dans le manoir ? Dieu seul savait quelles conséquences funestes cela aurait... Il suivit son frère dans la clairière et compta douze vampires autour de lui.

Il les entendait échafauder en chuchotant des projets insensés pour obtenir de l'essence de démon. Il ne put s'empêcher de frémir. Même s'il était plus âgé que la plupart d'entre eux, l'essence de démon qu'ils avaient absorbée leur donnait-elle un avantage sur lui ? Leur seul nombre leur permettait-il de triompher de lui ?

La musique cessa dès qu'ils entrèrent dans la

clairière. Tous les vampires se tournèrent vers lui et l'observèrent avec un mélange de curiosité et de haine non dissimulée.

— Approchez tous que je vous présente mon frère Damien, dont j'ai été séparé il y a bien longtemps…, leur lança Nicholaï.

Damien resta parfaitement immobile tandis que les vampires venaient former un cercle autour de lui. Les sept hommes l'observèrent avec méfiance tandis que les cinq femmes, visiblement intriguées, lui souriaient et tendaient la main pour le toucher. Deux d'entre elles vinrent se frotter contre lui en lui promettant… tout. Il leur rendit leurs sourires tout en tâchant de percevoir les émotions qui émanaient du groupe.

— Détends-toi, frérot, lui dit Nicholaï. Nous ne te voulons aucun mal.

Une vampire aux longs cheveux noirs et aux yeux incroyablement sombres glissa ses mains sous sa chemise pour caresser son torse, puis son ventre. Ses caresses éveillèrent aussitôt son désir, et la femme esquissa un sourire lubrique en comprenant qu'elle avait obtenu l'effet recherché.

Nicholaï attrapa une rousse par le poignet, l'attira contre lui, lui entailla la gorge du bout de l'ongle et se reput de son sang parfumé. La rousse se mit à gémir en battant des paupières.

Damien savait qu'il arrivait aux vampires de se nourrir les uns des autres par jeu érotique, mais il n'avait jamais essayé lui-même. Cependant, il ne pouvait nier que cela éveillait plus que sa curiosité… Il se tourna vers la brune en se léchant les lèvres.

— Ne t'éloigne pas trop, lui ordonna Nicholaï. Nous avons à parler.

Damien contempla la tentatrice qui s'offrait à lui. Il n'aspirait qu'à l'attirer contre lui pour enfouir son visage entre ses seins généreux.

— Je ne vais pas pouvoir rester longtemps, prévint-il, le souffle court.

Nicholaï éclata de rire, puis recommença à boire le sang de la rousse, qui semblait beaucoup apprécier ses attentions. Damien ne demandait pas mieux que d'offrir ce plaisir à celle qui l'y incitait.

Celle-ci tomba à genoux devant lui et entreprit de déboutonner son pantalon. Lorsqu'elle leva les yeux pour rencontrer son regard, ses émotions l'envahirent subitement : la soif, la fourberie, le désir de meurtre, la folie...

— Il faut que j'y aille, annonça-t-il d'une voix rauque.

— C'est ça, ricana Nicholaï. Tu dois courir au manoir de Pluie-de-Loups pour protéger le prochain vaisseau d'Asmos. Pourquoi te donner cette peine, petit frère ? C'est son destin...

Damien le fixa. Il était maintenant certain d'être tombé dans un piège. Ils voulaient se servir de lui pour entrer au manoir et atteindre Emma. Il repoussa la femme qui tirait sur son pantalon et recula avec méfiance.

Son frère esquissa un sourire et lécha encore la gorge de la rousse. Damien étendit sa perception pour tenter de découvrir ses véritables intentions et se heurta à un mur. Il n'était pas capable de lire dans son esprit.

— Essaie autant que tu veux, petit frère, ironisa Nicholaï. Tu es moins puissant que moi.

— Vraiment ? Nous ne sommes plus des enfants, Nicholaï.

— Non, mais tu te prives de l'élixir qui te donnerait des forces… Le sang te libérera.

— C'est cette abstinence qui fait ma force.

Nicholaï éclata de rire.

— Tu renies ta propre nature. En tant que vampire, tu es un puissant prédateur, doué d'une intelligence et d'une compassion qui lui permettent de savoir quand il doit épargner une vie ou délivrer la mort.

Alors que Damien ouvrait la bouche pour répondre, Nicholaï lui donna un violent coup de pied derrière les mollets qui le fit tomber sur le dos. Il lui posa son pied sur le torse et demanda :

— Alors, qui est le plus fort ?

Damien sentit son estomac se nouer et serra les poings. Lorsqu'ils étaient enfants, son frère prenait toujours un malin plaisir à le provoquer de la sorte.

Il attrapa la botte de Nicholaï à deux mains et lui tordit la jambe pour le faire tomber et rouler sur lui.

— C'est moi, grogna-t-il en le plaquant au sol.

Son frère éclata de rire.

— Nous verrons bien, répondit-il en le plaquant à son tour à une vitesse stupéfiante. Toi aussi, tu pourrais avoir la force d'un dieu, Damien… Elle est juste sous ton nez, dans la gorge magnifique de Mlle McGovern.

Il se pencha pour l'embrasser sur la joue.

— Tu n'as qu'à y goûter, lui chuchota-t-il à l'oreille avant de disparaître.

Abasourdi, Damien se redressa en se frottant la joue. Il étendit sa perception sans parvenir à retrouver son frère. Soit celui-ci était parti à une vitesse que Damien croyait impossible d'atteindre, soit il dissimulait son aura, ce à quoi lui-même avait lamentablement échoué.

Ses pires craintes se réalisaient : son frère était plus puissant que lui. Et il voulait s'en prendre à Emma... Avait-il l'intention d'attendre que la malédiction s'accomplisse et qu'elle devienne le vaisseau d'Asmos, ou allait-il se contenter de l'essence démoniaque qui teintait déjà son sang à cause des loups ? Ces scénarios étaient aussi catastrophiques l'un que l'autre. Damien bondit sur ses pieds et abandonna le clan de vampires pour courir à toutes jambes vers le manoir. Il devait absolument conduire Emma à Saint-Yve le soir même...

6

Les loups couraient à travers bois, leur sens aiguisés par la faim et l'impatience. En passant près du cimetière, ils repérèrent l'odeur d'autres êtres semblables à eux, teintés comme eux d'essence démoniaque. La lune éclairait leur course que commandait la voix de leur maître qui résonnait dans leur tête.

Le manoir émergea du brouillard devant eux. Ses lumières brillaient différemment des années précédentes, régulièrement, au lieu de clignoter comme pour faire écho aux battements précipités de leur cœur.

Ils obliquèrent tous à la fois vers le labyrinthe. La fille que réclamait leur maître était dans la maison. Ils flairaient son odeur, devinaient son attente et se souvenaient du goût de son sang.

Ils s'arrêtèrent à l'entrée du labyrinthe et tournèrent leur attention vers les vampires tout proches. L'un après l'autre, ils levèrent la tête pour pousser un hurlement qui monta en puissance jusqu'à faire fuir tous les animaux des environs.

Oubliant les vampires, ils pénétrèrent dans le labyrinthe et retrouvèrent le chemin de la fontaine comme ils l'avaient fait bien des fois avant cette nuit. La porte qui s'ouvrait dans le socle de la fontaine céda facilement sous leurs poussées expertes et le verrou de l'autre trappe en fit autant lorsqu'ils eurent rageusement secoué la planche de bois. Ils bondirent dans le passage et gagnèrent le cellier.

Ils se glissèrent ensuite dans la cuisine, puis empruntèrent l'escalier sans faire de bruit. L'équinoxe approchait. Leur maître serait bientôt libre...

Damien courait si vite qu'il avait l'impression de voler à travers bois. Il devait regagner le manoir immédiatement. Nicholaï pouvait venir chercher Emma n'importe quand et il n'était plus certain de pouvoir l'en empêcher. Lorsqu'il s'approcha du manoir, il s'arrêta pour ouvrir le coffre de sa Mercedes et y récupérer une dague en argent, ainsi que deux pieux en frêne à la pointe recouverte d'argent.

Alors qu'il s'apprêtait à refermer le coffre, il entendit des pas discrets approcher. Il étendit sa perception et repéra la présence de son frère. Celui-ci était beaucoup plus près qu'il ne l'aurait voulu.

Damien glissa les armes dans les poches de sa longue veste en cuir noire. Il se dirigea vers la porte d'entrée, sonna et attendit avec impatience que Lucia vienne ouvrir. Il aurait aussi bien pu rentrer par la cuisine mais il ne tenait pas à effrayer la gitane plus qu'elle ne l'était déjà. Il l'entendit approcher dans le couloir d'un pas beaucoup trop lent à son goût.

La porte s'ouvrit enfin et les yeux de Lucia s'écarquillèrent lorsqu'elle le découvrit.

— Je vous croyais couché à l'étage...

— J'ai eu envie de me promener. Vous y voyez un inconvénient ?

— Est-ce que ça changerait quelque chose ? riposta-t-elle en fronçant le nez même s'il était peu probable qu'elle puisse sentir quoi que ce soit en dehors de l'ail qu'elle portait autour du cou.

Damien recula d'un pas et attendit qu'elle s'écarte de son chemin, ce qu'elle ne fit pas.

— Puis-je entrer ? lui demanda-t-il.

— Je vous ai déjà invité à le faire une fois. Devons-nous répéter la procédure à chacun de vos retours ?

— Merci, répondit-il en inclinant poliment la tête.

Du coin de l'œil, il vit des ombres se déplacer à toute allure à la lisière de la forêt.

Lucia recula enfin pour le laisser passer, puis referma la porte derrière lui.

— Est-ce que c'est pour moi ? demanda-t-il en lui montrant son nouveau collier d'ail et d'aconit.

— Ça n'a pas d'effet sur vous ? l'interrogea-t-elle avec un regard méfiant.

Il haussa les épaules.

— Ça dégage une odeur infecte... Vous n'avez pas à craindre que je vous embrasse.

Lucia plissa les yeux, fut sur le point de répondre quelque chose, puis changea d'avis, pinça les lèvres et retira son collier pour le suspendre à la poignée de la porte. Si l'ail ne le dérangeait que par son odeur, en revanche il détestait l'aconit, qui lui donnait des démangeaisons.

— Si vous voulez me faire plaisir, n'invitez personne d'autre à entrer cette nuit, lui recommanda-t-il en prenant un air dégagé.

— Comme si j'en avais l'intention, grommela-t-elle.

Damien faillit sourire. Cette vieille gitane lui rappelait beaucoup sa tante Trudy à qui son instinct protecteur avait fait perdre toutes bonnes manières. L'estimant capable d'encaisser la nouvelle, il décida de se montrer franc.

— Je crois utile de vous avertir qu'il y a des vampires autour du manoir, annonça-t-il. Il me semble plus prudent de conduire Emma à Saint-Yve dès ce soir. Est-ce que M. McGovern et vous serez en sécurité ici ?

Elle alla ouvrir un cagibi sous l'escalier, d'où elle tira une dague en argent, une boîte de pieux fins comme des crayons, puis une arbalète.

— Est-ce que ça vous rassure ?

Alors que Damien s'apprêtait à lui répondre, il entendit des pas discrets de loups. Il se figea pour tenter de les localiser et fut frappé par une violente odeur de soufre qui provenait de l'étage.

— Emma !

— Qu'y a-t-il ? s'écria Lucia en reprenant la dague.

— Les loups ! répondit-il en se précipitant dans l'escalier, dont il gravit les marches deux à deux.

Pourquoi n'avait-il pas remarqué leur absence lorsqu'il était revenu ? C'était bien la première fois depuis son arrivée qu'ils ne rôdaient pas autour du manoir.

Il atteignait le couloir lorsque le hurlement d'Emma résonna dans tout l'étage. Des images d'Emma déchiquetée par les loups se bousculèrent dans son esprit. La porte de sa chambre était ouverte et on devinait la lueur vacillante d'une chandelle dans la pièce.

Damien hésita un instant avant d'y pénétrer. Le profond silence qui avait succédé au hurlement d'Emma l'inquiétait encore plus que celui-ci... Il rassembla son courage et entra dans la chambre.

Emma était assise dans son lit. Elle agrippait sa couverture et fixait avec horreur les loups qui montaient la garde de chaque côté. Ceux-ci se levèrent en voyant Damien. Ils se tournèrent vers lui et lui montrèrent leurs crocs en grognant sourdement. Il songea un instant à leur montrer les siens, mais se ravisa en se rappelant la présence d'Emma.

— Ils ne vous feront pas de mal, lui assura Damien en avançant prudemment. Regardez : ils n'ont pas pu dépasser le cercle de protection.

Damien continua à s'approcher du lit en sortant sa dague de sa poche et sans perdre de vue un instant le loup le plus proche de lui, dont les grognements étaient de plus en plus menaçants.

— Reculez ! cria Lucia en entrant derrière lui avec un chiffon enflammé d'où s'échappait une odeur infecte. Saisi de nausée, Damien se plia en deux tandis que les loups s'enfuyaient de la chambre en gémissant.

Emma ajusta sa chemise de nuit, attrapa le petit chien qui se cachait entre ses draps et bondit hors de son lit pour courir vers Lucia. La vieille gitane jeta son chiffon dans le lavabo et se tourna pour la prendre dans ses bras.

— Dieu merci..., murmura-t-elle.

— Je ne comprends pas, balbutia Emma. Ils

n'étaient jamais entrés dans le manoir, jusqu'à présent. Comment ont-ils réussi ?

— Je n'en sais rien, mais je vais trouver, déclara Damien en quittant la chambre.

Si des loups pouvaient s'introduire dans le manoir, Nicholaï et ses vampires le pouvaient aussi. Deux autres loups apparurent derrière lui pour lui filer entre les jambes. Damien jeta un regard inquiet dans le couloir en se demandant d'où ils pouvaient venir et ce qu'ils avaient pu faire.

En suivant la piste des loups, il redescendit au rez-de-chaussée, entra dans la cuisine et se retrouva devant la porte d'où Emma avait jailli quelques heures plus tôt en tenant son petit chien. Il l'ouvrit prudemment et découvrit un cellier plongé dans la pénombre.

L'ampoule qui pendait du plafond était allumée, mais elle n'éclairait pas suffisamment pour qu'il puisse s'assurer que les loups ne s'étaient pas tapis dans les coins sombres pour le guetter. Damien étendit sa perception à la recherche d'une présence autour de lui. Il était seul.

Il dévala l'escalier et emprunta un couloir qui passait sous le manoir. Celui-ci ne tarda pas à se rétrécir et l'air s'alourdit d'une odeur de terre humide. Damien se retrouva brusquement face à un autre mur.

Comme le noir était presque complet, il tendit les bras pour découvrir son environnement à tâtons et sentit des murs de terre soutenus par des étais d'où saillaient des cailloux. Lorsqu'un courant d'air lui effleura la joue, il leva la tête et distingua faiblement la lumière de la lune à travers une ouverture rectangulaire au plafond.

Une trappe… Il tendit l'oreille pendant quelques instants pour s'assurer que les loups s'étaient éloignés et que personne d'autre ne rôdait dans les environs, puis monta refermer la trappe et en tirer le lourd verrou rouillé. Avant de redescendre dans le passage, il prit la précaution de lui donner un coup d'épaule pour s'assurer de sa solidité. Comment les loups pouvaient-ils connaître l'existence de ce passage secret ? Qu'en était-il de Nicholaï ?

Il était déjà fou d'inquiétude lorsque des cris résonnèrent faiblement au bout du tunnel. Damien sursauta et se précipita en reconnaissant les gémissements déchirants d'Emma.

Les pleurs cessèrent brusquement lorsqu'il atteignit le cellier. Il se figea au pied de l'escalier et étendit sa perception avec angoisse sans repérer ni son frère ni les loups.

Incapable de déterminer la nature de la menace, il remonta en courant dans la cuisine, puis à l'étage. Lucia se trouvait dans le couloir et semblait désespérée.

— C'est M. McGovern, lui annonça-t-elle d'une voix calme.

Damien entra dans la chambre et aperçut Emma, pleurant en silence, effondrée sur le lit de son père. Celui-ci était parfaitement immobile. Son teint était grisâtre, sa peau moite, et il semblait avoir beaucoup de mal à respirer.

Damien soupira tristement. Il fut tenté de s'approcher d'Emma pour la réconforter, mais hésita. A sa connaissance, M. McGovern avait le cœur fragile. Comment aurait-il pu l'aider ?

Il s'apprêtait à quitter la chambre pour laisser le père et la fille tranquilles, lorsqu'il repéra des empreintes boueuses sur le couvre-lit et la moquette.

Les loups…

Voilà donc où ils se trouvaient. Mais qu'étaient-ils venus faire ici ? Il fit le tour du lit pour mieux observer le vieillard en s'efforçant de rester le plus loin possible d'Emma. Il avait été mordu à l'épaule et sa blessure avait un aspect inquiétant.

— Nous devons l'emmener à Saint-Yve, déclara-t-il.

Emma leva vers lui ses yeux rougis par les larmes.

— Pourquoi ? Que peut faire le Cadre ?

— L'aider, j'espère… Mais pour ça, nous devons partir dès ce soir. Vous en sentez-vous capable ?

Elle acquiesça, puis se précipita hors de la chambre. Damien n'eut aucun mal à soulever le fragile vieillard dans ses bras sous le regard sceptique de Lucia.

— Je ne mens pas, insista-t-il sans savoir pourquoi il s'en donnait la peine.

La gitane hocha la tête et le suivit dans le couloir. Il ne fallut qu'une minute à Emma pour le rattraper dans l'escalier avec un sac à la main.

— Soyez prudents ! leur cria Lucia du premier étage avant de se pencher pour prendre Angel dans ses bras.

— Souvenez-vous de ce que je vous ai dit et ne laissez entrer personne, insista Damien.

Elle hocha de nouveau la tête avec une expression grave.

Damien reporta son attention sur Emma.

— Si nous partons maintenant, nous pouvons atteindre Saint-Yve avant le lever du jour, lui dit-il tandis qu'ils traversaient le rez-de-chaussée au pas de course.

— Et nous y trouverons des gens qui pourront aider mon père ?

— Ils devraient pouvoir le guérir de ce que les loups lui ont fait.

Damien hésita devant la porte d'entrée. Le collier d'ail et d'aconit de Lucia, toujours suspendu à la poignée, l'empêchait de savoir si Nicholaï les attendait devant le manoir. Il changea la position du vieil homme dans ses bras.

— Je passe devant ! déclara Emma en le contournant sans lui laisser le temps de l'avertir du danger.

Damien tressaillit et posa une main sur la porte, au cas où il aurait eu besoin de la claquer aussitôt, mais il ne vit aucun signe de Nicholaï et de sa bande. Il ne douta pas un instant qu'il s'agissait d'un piège.

— Mettez le collier, lui ordonna-t-il.

S'il ne pouvait avoir aucun effet sur Nicholaï lui-même, il risquait de poser de gros problèmes à ses jeunes vampires... Damien sortit le premier et fonça vers sa voiture.

Emma enfila le collier en grimaçant, le rattrapa pour lui ouvrir la portière et recula tandis qu'il déposait son père sur la banquette arrière.

— Montez ! ordonna-t-il en courant du côté conducteur.

Depuis que l'odeur de l'ail n'entravait plus sa perception, il sentait les vampires beaucoup trop près à son goût. Avant qu'il n'atteigne sa portière, la vampire rousse qu'il avait vue avec son frère se détacha d'un tronc d'arbre pour lui bloquer la route avec un sourire mauvais.

— Vous allez quelque part ?

Damien se mit en garde par réflexe.

— Je ne vous ferai aucun mal si vous reculez, la prévint-il.

Elle éclata de rire.

Un grand vampire qu'il ne se souvenait pas avoir vu dans la clairière jaillit de derrière la voiture.

— Livre-nous la fille et tu pourras partir. Dans ce cas, personne ne sera blessé.

— Bizarrement, je ne vous trouve pas très amicaux, ironisa Damien en esquissant un sourire aussi méchant que les leurs.

Son adversaire releva le menton et désigna Emma d'un geste autoritaire. Un troisième vampire, aux cheveux ébouriffés, apparut pour ouvrir la portière d'Emma et lui demander de sortir.

— Ne bougez pas, Emma, cria Damien en étendant sa perception.

D'autres vampires qui s'étaient postés derrière le manoir accouraient vers eux. Le temps pressait.

La rousse et son homme de main avancèrent d'un pas.

— Allons, chéri, lui dit-elle. Donne-nous la fille. Nous partagerons…

Nicholaï et cinq ou six de ses vampires n'étaient plus qu'à quelques centaines de mètres. Il sentit que son frère étendait lui aussi sa perception pour s'insinuer dans son esprit et tenter de lui imposer sa volonté. Damien savait que les vampires pouvaient développer cette faculté mais il ne s'y était pas encore essayé lui-même. En revanche, il savait y résister.

Damien fouilla dans les poches de sa veste et prit un pieu dans chacune de ses mains.

— Ton amant approche, annonça-t-il à la rousse.

Lorsqu'elle le quitta des yeux pour regarder Nicholaï, il tendit vivement le bras pour lui planter l'un des pieux dans la poitrine. Profitant de l'effet de surprise, il fit volte-face et planta l'autre dans le cœur du grand vampire. Tous deux poussèrent un cri strident avant d'exploser en un nuage de cendres.

Un rugissement de rage et de chagrin résonna dans la nuit. Damien se tourna vers ce son déchirant et vit Nicholaï lever les bras au ciel. Ses vampires inquiets s'écartèrent de lui. Alors une vague de colère frappa Damien en plein torse et le projeta contre sa voiture.

Emma ajouta ses hurlements à la cacophonie générale. Le vampire aux cheveux ébouriffés lui saisit le bras, la força à sortir de la voiture et l'attira contre lui… pour la repousser aussitôt lorsque l'ail de son collier lui effleura la peau.

Damien prit appui sur le capot de sa voiture pour se jeter sur le vampire les deux pieds en avant. Il l'atteignit en plein torse, le renversa et se jeta sur lui pour lui planter l'un des pieux dans le cœur. Le vampire se désintégra sous lui.

Damien se releva en s'époussetant le pantalon. Nicholaï et ses sbires volaient presque dans leur direction. Damien se tourna vers Emma, qui fixait le tas de cendres à ses pieds avec des yeux exorbités. Elle tourna brusquement la tête quand Nicholaï recommença à rugir.

— Dans la voiture, vite ! lui cria Damien en se précipitant vers la portière du conducteur.

Emma avait à peine refermé sa portière qu'il mit le moteur en route. Alors qu'il démarrait en trombe, son frère se jeta sur le capot avec un bruit sourd. Emma hurla encore. Damien accéléra résolument et finit par faire lâcher prise à Nicholaï, qui fut projeté sur une pelouse.

— Lucia ! cria Emma en se retournant pour regarder Nicholaï rouler dans l'herbe par la vitre arrière.

La silhouette de la vieille gitane se dessinait à une fenêtre du premier étage.

— Ne vous inquiétez pas. Tout va bien se passer pour elle. Elle a des armes et elle sait se défendre.

Il se tourna vers elle.

— Faites-moi plaisir…, ajouta-t-il. Jetez donc ce collier par la fenêtre.

Emma le regarda quelques instants avant de lui obéir.

— Qui étaient… ces gens ? lui demanda-t-elle d'une voix tremblante.

Damien observa son frère dans le rétroviseur. Les membres de son clan se rassemblaient autour de lui. Il se souvint de la force avec laquelle son frère l'avait projeté contre la voiture alors qu'il se trouvait encore à plusieurs centaines de mètres. Il s'était servi de sa colère comme d'une arme... Damien n'avait jamais rien vu de tel. Alors une terreur soudaine le saisit. Comment allait-il triompher d'un être aussi puissant ?

7

La lune qui brillait dans le ciel noir au-dessus de la route déserte était brusquement devenue la seule réalité réconfortante dans un univers qui avait basculé sur son axe. Un froid engourdissant empêchait Emma de réfléchir. Elle ne pouvait pas donner le moindre sens à ce qui venait de se passer à Pluie-de-Loups. Elle se tassa dans son siège en se frottant les bras.

Elle aurait voulu dire et demander tant de choses… Mais aucune phrase cohérente ne se formait dans son esprit. La Mercedes rugissait sur la route en ralentissant à peine dans les virages. Damien fixait la route et conduisait sans la moindre hésitation comme s'ils avaient le diable aux trousses.

C'était peut-être le cas.

Après ce qu'Emma venait de voir — et elle ne comprenait décidément pas ces événements —, elle n'était plus sûre de rien. L'homme qui l'avait tirée par le bras avait… disparu. Damien lui avait planté quelque chose dans la poitrine et il n'en était plus resté qu'un tas de cendres. Comme cela s'était produit de nombreuses fois depuis leur départ, des frissons irrépressibles menacèrent de lui faire perdre le peu de santé mentale qui lui restait.

— Vous tenez le coup ? lui demanda Damien en se tournant vers elle.

Son visage apparaissait en clair-obscur à la lueur des voyants du tableau de bord. Emma se figea, fascinée par l'éclat surnaturel de son regard.

— Emma ?

Le cœur déjà affolé d'Emma manqua un battement.

— Je ne sais pas, balbutia-t-elle en s'arrachant à sa stupeur.

Que pouvait-elle dire ? Qu'elle craignait d'avoir lâché le fil fragile qui la maintenait en contact avec la réalité ?

— Tout va bien se passer, la rassura-t-il en posant sa main sur la sienne. Pour cette nuit, le pire est derrière nous.

Elle aurait aimé pouvoir le croire et tirer un maigre réconfort de l'idée que les choses ne pouvaient pas aller plus mal. Malheureusement, elle ne savait que trop bien que c'était faux. Elle se tourna vers son père, qui était d'une pâleur cadavérique mais respirait régulièrement.

Si seulement il avait pu se réveiller, lui sourire et lui assurer que tout allait bien se passer... Alors elle aurait peut-être réussi à empêcher ses mains de trembler. Mais il paraissait terriblement vulnérable et elle craignait qu'il ne se réveille jamais.

— Les médecins qui travaillent pour le Cadre sont parmi les meilleurs du pays, déclara Damien. S'il existe un remède pour le sauver, ils le trouveront.

Son assurance lui rendit un peu d'espoir. Elle inspira profondément et se retourna vers la route en réprimant les sanglots qui l'étouffaient. Elle n'allait pas pleurer alors qu'il y avait encore une chance de le sauver...

— Pourquoi n'essayeriez-vous pas de dormir un peu ? lui suggéra Damien. Nous n'atteindrons pas Saint-Yve avant au moins deux heures.

Dormir... C'était tentant, mais comment aurait-elle pu alors que tant de craintes l'assaillaient ? Qu'allait-il leur arriver ? Et comment pouvait-elle remettre leurs deux vies entre les mains du Cadre ? Lucia ne lui avait-elle pas répété d'innombrables fois que sa mère serait encore en vie sans l'intervention de cette organisation ? Et voici qu'elle se trouvait sur la route, avec un parfait étranger, sur le point de confier son père aux médecins du Cadre...

Ses yeux tombèrent sur les mains de Damien agrippées au volant. Elles n'étaient pas particulièrement grandes et Damien, dans l'ensemble, n'était pas particulièrement impressionnant. Même si elle ne percevait rien de menaçant en lui, elle n'était pas certaine de pouvoir lui faire confiance. Lorsqu'elle était en sa présence, elle brûlait de désir un instant pour frémir de terreur l'instant suivant.

— Que s'est-il passé au manoir ? lui demanda-t-elle pour interrompre le fil de ses pensées, qu'elle n'avait aucune envie d'approfondir.

Elle le vit hésiter. De toute évidence, il n'était pas certain de pouvoir lui confier la vérité.

— Je vous en prie..., insista-t-elle. C'est ma maison et Lucia...

Sa gorge se serra.

— ... est encore là-bas...

Il se tourna vers elle, le visage grave.

— Croyez-moi, Lucia sait exactement à qui elle a affaire et comment se défendre. Il ne va rien lui arriver.

— Et à qui a-t-elle affaire ? insista Emma. J'ai le droit de le savoir.

Elle jeta un coup d'œil à son père sur la banquette arrière.

— Il ne va rien lui arriver…, répéta-t-il d'une voix hésitante. C'est après vous qu'ils en ont.

Ces paroles prononcées par sa voix grave et vibrante de sincérité lui coupèrent le souffle. Emma fut saisie d'une sueur froide.

— Pourquoi ? murmura-t-elle d'une voix à peine audible.

— A cause de votre sang.

— Mon sang ?

Elle le fixa en se demandant si elle avait bien entendu. Son estomac se noua tandis qu'elle s'efforçait de donner un sens à cette réponse.

— Vous voulez dire… à cause de ma famille ? Parce que je suis une McGovern ?

Les crampes devinrent intolérables. Quel rapport sa famille avait-elle avec tout cela ?

— Expliquez-moi, s'il vous plaît, le supplia-t-elle en l'épiant à travers le rideau de ses cheveux.

— Non. A cause de votre *sang*.

Il lui retourna l'avant-bras pour lui montrer la longue égratignure que l'homme lui avait faite.

— Ce sont des vampires. C'est votre sang qui les intéresse.

— Des vampires ? répéta-t-elle en sentant l'hystérie la gagner. Lucia m'a répété toute ma vie que

111

je ne devais pas tomber amoureuse parce qu'une sorcière gitane avait maudit ma famille… Chaque année, j'ai tremblé de terreur à l'idée que des loups diaboliques allaient revenir me chercher… Et vous me dites qu'il y a aussi des vampires à mes trousses ? Qu'est-ce que c'est ? Un cauchemar ?

— Je suis désolé. Mais votre sang a vraiment quelque chose de spécial… Ce qui vous est arrivé avec les loups… l'a modifié.

— Parce que les loups m'ont mordue ?

— Oui. Nous devons comprendre pourquoi ils l'ont fait. Que s'est-il passé cette nuit-là ?

Elle fixa son visage, que les voyants du tableau de bord baignaient d'une lumière improbable. *Que s'était-il passé cette nuit-là ?* Elle se souvint de l'étau des doigts de sa mère qui l'entraînait vers les loups.

Emma sentit un goût de bile lui envahir la bouche tandis que les images se bousculaient dans son esprit. Le sang… La mort… Le rougeoiement diabolique des yeux de sa mère…

— Arrêtez-vous, s'il vous plaît ! hoqueta-t-elle en s'agrippant à la poignée de la portière.

Elle se souvint du sang de M. Lausen, qui giclait entre ses doigts pour former une flaque menaçante sur le sol…

Et il y avait aussi ces ténèbres terrifiantes dans le regard de sa mère… Elle avait essayé de lui échapper mais un des loups s'était jeté sur elle. Il s'était assis sur sa poitrine et lui avait montré les crocs en grognant.

Son estomac se souleva et elle dut mettre sa main dans sa bouche le temps que Damien repère un bas-côté où il pouvait s'arrêter. Elle tomba presque de la voiture. Alors elle vomit dans l'herbe avec l'absolue certitude que ses cauchemars n'étaient pas près de finir. A vrai dire, ils ne faisaient que commencer.

En la défigurant, les loups avaient fait d'elle un être différent. En un sens, elle l'avait toujours su. Ses larmes roulèrent sur ses joues. Les loups avaient tout changé…

Après cinq minutes, qu'elle passa assise dans l'herbe à tâcher de retrouver son calme, Emma reprit assez confiance en son estomac pour remonter dans la voiture.

— Est-ce que ça va aller ? lui demanda Damien.

Elle leva la tête vers lui, acquiesça, puis tenta de se relever sans parvenir à maîtriser les tremblements de ses muscles.

Damien enroula son bras autour de sa taille pour l'aider à regagner la voiture.

— Je vous promets qu'il ne vous arrivera rien, déclara-t-il avec assurance en l'installant sur le siège avec une délicatesse infinie, comme si elle était précieuse à ses yeux.

Il leva la main pour effleurer ses cicatrices.

— Le Cadre vous protégera.

Alors qu'elle contemplait son visage sincère et inquiet, quelque chose se brisa en elle. Ses larmes jaillirent de nouveau.

— J'aimerais tellement pouvoir vous croire…

— Vous pouvez, lui assura-t-il en hochant solennellement la tête.

Il ferma doucement la portière, reprit place au volant et redémarra.

— Surtout, le Cadre vous apprendra à vous protéger vous-même, ajouta-t-il. Nous ne sommes plus qu'à deux jours de l'équinoxe. Cette nuit-là, la Pluie-de-Loups va devenir une succursale de l'enfer.

Emma ouvrit les yeux en sentant la voiture ralentir. Elle avait suivi son conseil et s'était endormie. C'était nécessaire... Son esprit n'en pouvait plus de ressasser les paroles de Damien en tâchant de leur donner un sens. Les arbres s'espacèrent pour laisser apparaître un manoir perché sur une colline. La lune se reflétait dans une rivière qui serpentait entre les arbres et projetait des lueurs surnaturelles sur ses murs.

— Sommes-nous arrivés ?

— Oui, répondit Damien en se tournant vers elle. Comment vous sentez-vous ?

— Comme on pouvait s'y attendre, grommela-t-elle avant d'être distraite par des lapins — s'agissait-il bien de lapins ? — qui se pourchassèrent sur la pelouse avant de disparaître dans la forêt qu'éclairait un arc-en-ciel. Celui-ci disparut le temps qu'Emma cligne les yeux. Elle secoua la tête, certaine d'avoir été victime d'une hallucination, puis écarquilla les yeux.

— Est-ce que c'est un... ? Non... C'est impossible.

— Bien des magies ancestrales hantent ces lieux, répondit Damien en esquissant un sourire. Et elles ne sont pas toutes inoffensives. Vous ne devez pas vous éloigner du manoir. N'allez pas vous promener dans les bois, même si les chemins vous paraissent enchanteurs ou si vous éprouvez une envie irrésistible de vous aventurer au bord de l'eau. Les humains n'ont aucune chance d'échapper aux bois de Saint-Yve, une fois la nuit tombée.

— Les humains ? Que voulez-vous dire ? Que leur arrive-t-il ?

— Des ennuis, grommela-t-il.

Emma déglutit péniblement.

— Ils sont victimes de farces ou sont réduits en esclavage… Voyez-le comme vous voulez. Mais tous ceux qui ont pénétré dans les bois de Saint-Yve n'en sont pas revenus.

— Génial, marmonna-t-elle tandis qu'ils longeaient un étang et franchissaient un petit pont de pierre pour s'approcher du manoir. Comme si les vampires, les loups et les démons ne suffisaient pas, il faut que vous m'emmeniez dans des bois hantés…

— Enchantés, murmura-t-il.

— Quoi ?

— Ces bois sont plutôt enchantés que hantés.

— Je vois. Merci pour cet éclaircissement.

Après un dernier virage, ils s'arrêtèrent devant une immense grille en fer derrière laquelle on apercevait une maisonnette blanche recouverte de roses rouges grimpantes.

Damien klaxonna en grommelant un juron.

Emma se pencha pour mieux voir l'adorable maison dont le porche était éclairé par deux lanternes.

— C'est charmant, commenta-t-elle, un peu surprise.

Comme personne ne répondait à leur coup de Klaxon, Damien insista jusqu'à ce qu'une délicieuse vieille dame apparaisse sur le porche en se protégeant les yeux de la lumière des phares.

Damien ne les éteignit pas. Emma se tourna vers lui et fut surprise par la dureté de son expression. Il fixait la vieille dame avec une haine non dissimulée.

— Que se passe-t-il ? lui demanda-t-elle en redoutant sa réponse.

— Rien, répondit-il avant de grommeler quelque chose qu'elle ne comprit pas.

La vieille dame s'approcha de la grille, y ouvrit une petite porte à laquelle s'accrochaient des branches de jasmin, puis avança vers la voiture. Damien baissa à moitié sa vitre. La femme vint se planter devant sa portière et les observa longuement, Damien, son père et elle.

— Quel est le but de votre visite ? demanda-t-elle en baissant la tête pour les regarder par-dessus les montures de ses lunettes.

La pauvre était en chemise de nuit…

— Tu sais très bien pourquoi nous sommes là, l'interrompit Damien. Nica vous a prévenus de notre arrivée. Alors ouvre cette grille et laisse-nous entrer !

— Surveille ta langue, l'obscur…, répliqua la vieille dame en plissant les yeux.

Elle soutint le regard de Damien pendant de longues secondes de malaise, puis offrit un sourire à Emma.

Ses boucles grises et ses rides bienveillantes lui donnaient l'air inoffensive… ou presque.

— Que venez-vous faire à Saint-Yve ? lui demanda-t-elle.

— Mon père a besoin de soins, expliqua Emma

en lui montrant le blessé qui gisait sur la banquette arrière. Le Cadre a proposé de nous aider...

— Votre père a assurément besoin d'aide, répondit la vieille dame. Il est teinté d'ombre... Vous l'êtes tous.

Elle plissa le nez.

— Je le sens...

— Pardon ? balbutia Emma en fronçant les sourcils.

— Tout va bien, Ophélia ! cria un vieillard depuis le perron de la maisonnette en agitant sa canne. Mme Burrows vient d'appeler pour nous prévenir de leur visite !

La vieille dame les fixa encore un moment et Emma crut voir un éclat vert dans ses yeux. Elle secoua la tête. Elle devait être plus fatiguée qu'elle ne le croyait.

— Les dispositions appropriées ont été prises, poursuivit le vieillard d'une voix rauque en s'approchant lentement de la grille.

De violents tremblements le forcèrent à s'arrêter. Emma craignit de le voir tomber, mais les tremblements cessèrent et le vieillard reprit sa lente progression.

— Tu ne te lasseras donc jamais de ce petit jeu, Ophélia ? grinça Damien. Je peux t'assurer qu'il ne m'amuse plus depuis longtemps...

— Comment va ton amie, l'obscur ? riposta la vieille dame. Se languit-elle toujours dans sa tourelle ?

Elle se pencha davantage, le regard pétillant de plaisir cruel.

— Ton cœur est-il encore lié au sien ? Le sens-tu s'affaiblir jour après jour pour n'être bientôt plus que l'ombre de ce qu'il aurait pu être ?

Damien resta parfaitement immobile. Pas un de ses muscles ne tressaillit, mais les articulations de ses mains crispées sur le volant blanchirent. Emma ne put s'empêcher de se demander quelle était cette « amie » dont elle avait parlé.

La femme éclata de rire en paraissant subitement bien plus jeune et robuste.

— Je devrais peut-être te trouver un nouveau surnom… Que dirais-tu du « fantôme aux regrets » ?

— Combien de temps vas-tu encore nous faire perdre avec tes bavardages ? grogna Damien entre ses dents.

— Laisse-les entrer, Ophélia, intervint le vieillard qui venait enfin de les rejoindre. Leurs ennuis ne font que commencer. Ne le sens-tu pas ? Ils empestent la mort et la peur…

Il inspira bruyamment.

— Un mélange délicieusement écœurant, ajouta-t-il avec un large sourire qui découvrit d'affreuses dents jaunes avant de tendre une main tremblante vers Emma. Quant à celle-là… l'essence coule dans ses veines.

Des tremblements irrépressibles saisirent Emma à ces mots.

— Raison de plus pour la renvoyer là d'où elle vient, grommela la vieille dame.

Emma se raidit. Mais qui étaient donc ces gens ?

— Ça suffit ! aboya Damien. Si vous n'ouvrez pas immédiatement cette grille, je vais vous faire sentir mon essence à tous les deux !

La vieille dame pinça les lèvres.

— Ne me menace pas, mon garçon. Il fut un

temps où j'en avalais plusieurs comme toi au petit déjeuner... Parasite sanguinaire ! Ton espèce n'a aucune raison d'être.

Elle esquissa un sourire mauvais.

— Vous n'êtes même pas agréables à regarder...

— Rentrons, Ophélia.

Son mari passa son bras sous le sien, fit deux pas en direction de la grille, puis s'arrêta pour laisser passer de nouveaux tremblements.

Emma soupira lorsque Damien remonta sa vitre.

— Ils sont... horribles, murmura-t-elle en tâchant de retrouver son calme.

— Ce sont les gardiens du manoir, expliqua Damien. Ils ont pour tâche d'empêcher les *indésirables* d'entrer.

Il y avait de l'amertume dans sa voix.

— Indésirables ? répéta Emma. Alors pourquoi s'intéressaient-ils autant à nous ?

Lorsqu'ils passèrent devant le vieillard, Emma le vit se redresser et grandir. Il lui fit un signe de la main en souriant. Son geste s'accompagna de la nette sensation qu'il lui étreignait le cœur de ses doigts osseux. Elle se figea d'horreur.

Quand cette impression cessa, elle se massa le plexus, inspira profondément et se tourna vers Damien pour lui demander ce qu'ils avaient de si indésirable, mais ce qu'elle vit l'en empêcha. La magnificence du domaine la priva de mots.

Droit devant eux, la lune se reflétait à la surface d'un étang ovale qu'entourait une pelouse d'un vert d'émeraude. Un cygne solitaire le traversait majestueusement. Emma détailla le château d'un regard émerveillé. Elle contempla ses gargouilles, ses tourelles surmontées de toits pointus ornés de girouettes, ses tours carrées et les balustrades sophistiquées de ses balcons et de ses terrasses.

Même dans ses rêves les plus fous, elle n'avait jamais imaginé un endroit d'une telle beauté.

— C'est incroyable…, murmura-t-elle.

— C'est l'entrée principale, qui permet d'accéder à la partie du château où vivent les Saint-Yve, expliqua Damien tandis qu'ils approchaient de l'immense bâtisse. L'aile réservée au Cadre se trouve derrière. C'est là que le personnel médical travaille.

Ils atteignirent une porte cochère flanquée de deux gargouilles en pierre dont les ailes se touchaient au-dessus de l'allée. Emma s'empressa de baisser sa vitre pour mieux les voir tandis qu'ils passaient dessous.

Elle observa en souriant d'émerveillement les détails sculptés dans la pierre. Les muscles et les tendons étaient d'une précision stupéfiante… Tandis qu'elle contemplait la tête d'une gargouille, celle-ci cligna les yeux et la fixa. Emma se réfugia si brusquement dans l'habitacle qu'elle se cogna la tête.

— Qu'y a-t-il ? lui demanda Damien, qui semblait réprimer un sourire.

Elle jeta un coup d'œil par la vitre arrière mais ne vit que des gargouilles de pierre froide.

— Rien. Je suis désolée…

Il haussa un sourcil.

— Cet endroit semble sorti d'un conte de fées, murmura-t-elle. Il est fabuleux et inquiétant…

— On peut voir les choses comme ça, répondit-il en hochant la tête.

— Les voyez-vous autrement ?

— D'une manière que je n'oserais pas formuler devant une dame...

Elle crut voir de l'amusement pétiller dans ses yeux et se demanda un instant si tout cela n'était qu'un rêve particulièrement tordu.

— Ne vous inquiétez pas, cette nuit ne va plus tarder à s'achever.

— Et que se passera-t-il demain ?

— Le visage de demain dépend des choix que nous faisons aujourd'hui...

Elle ne put s'empêcher de sourire.

— Génial. J'ai été sauvée de vampires et de loups démoniaques par un étrange poète qui m'a conduite dans un château enchanté...

Damien arrêta la voiture et inspira profondément en fermant les yeux.

— Et tout cela en une seule journée ! Mais cela ne fait que commencer.

Emma sentit ses craintes renaître.

— J'en ai le pressentiment, en effet...

8

Ils venaient à peine de s'arrêter lorsque deux hommes accoururent avec une civière. Emma les regarda y installer son père en se mordant la lèvre. Ils l'emportèrent à l'intérieur sans lui avoir adressé un mot. Emma voulut les suivre, mais Damien la retint par le bras tandis qu'une grande femme magnifiquement vêtue s'approchait d'eux.

— Bonjour, Damien, dit-elle en se penchant pour l'embrasser sur la joue en l'effleurant à peine.

Emma le sentit se raidir. Elle avait imaginé toutes sortes de choses pendant le trajet, mais certainement pas qu'une femme élégante, parfaitement coiffée et maquillée au beau milieu de la nuit, allait les accueillir.

— Soyez la bienvenue à Saint-Yve, lui dit-elle en lui tendant une main aux doigts délicats et aux ongles vernis. Je suis Nica Burrows. Si vous avez besoin de quoi que ce soit durant votre visite, adressez-vous à moi.

— Je vous remercie, répondit Emma en lui serrant la main. Pour l'instant, je voudrais seulement voir mon père.

— Bien sûr. C'est tout à fait normal. Mieux vaut

laisser quelques minutes aux médecins pour l'examiner, mais je vais faire tout mon possible.

Déconcertée par sa froideur, Emma l'observa pendant quelques instants.

— Mais vos docteurs n'ont-ils pas besoin que je leur fournisse des informations médicales sur mon père ? Comment pourront-ils le soigner ou comprendre ce qui lui est arrivé sans me parler ?

Mme Burrows joignit les mains, ce qui lui fit carrer les épaules plus qu'Emma ne le croyait possible.

— C'est inutile, répondit-elle de sa voix polie et atone. Nous sommes entrés en contact avec le Dr Callahan, qui a eu l'obligeance de nous fournir le dossier médical de votre père. Nous avons également parlé à Mme Lucia, qui nous a expliqué ce qui s'était passé au manoir de Pluie-de-Loups.

Emma sentit son cœur se serrer.

— Lucia ? Vous avez parlé à Lucia ?

Elle avait du mal à croire que Lucia ait pu accepter de parler à ces gens après lui avoir si souvent répété qu'elle devait s'en méfier... Elle jeta un regard interrogateur à Damien, qui se contenta de hausser les épaules. L'attitude de son poète augmenta sa perplexité.

— Ne craignez rien, ajouta Nica en lui offrant un sourire bien trop froid pour être réconfortant. Je sais que c'est difficile à croire et à comprendre, mais nous possédons un dossier sur votre famille depuis de nombreuses années. Nous disposons de toutes les informations dont nous avons besoin pour vous protéger, votre père et vous.

Emma se raidit et jeta un nouveau regard à

Damien, qui ne lui apprit rien de plus. Pourquoi ces gens possédaient-ils un dossier sur sa famille ? Avait-elle commis une erreur ? Avait-elle eu tort de confier son père au Cadre et de venir dans cet... endroit ?

Elle repensa à l'homme aux cheveux ébouriffés qui l'avait tirée hors de la voiture de Damien. Elle revit son sourire monstrueux et l'éclat surnaturel de son regard. D'après Damien, c'était un vampire... Un vampire ! Et qu'en était-il d'Ophélia, de son terrible mari et du regard de la gargouille ? Avait-elle imaginé tout cela ? Avait-elle perdu l'esprit ou son univers était-il chamboulé au point qu'elle ait besoin de remettre sa vie entre les mains de tels êtres ?

Sa vision s'obscurcit et la nausée la reprit. Lorsque ses jambes la trahirent, Damien la rattrapa vivement par la taille pour la soulever dans ses bras. Elle posa sa tête contre son torse pour se laisser envelopper par son parfum et bercer par les battements de son cœur. Rassurée par sa chaleur, elle espéra de tout son cœur ne pas s'être trompée. Elle voulait pouvoir lui faire confiance plus que tout au monde.

— La nuit a été longue, dit-il en faisant un pas vers la porte. Emma a besoin de se reposer. Pouvons-nous remettre l'interrogatoire à demain ?

Emma passa son bras autour de son cou. Un interrogatoire ? De quoi parlait-il ?

— Je vous assure que nous avons vos intérêts à cœur, Emma, insista Nica en plissant les yeux. Nous essayons depuis longtemps d'aider votre famille et de briser la malédiction de Camilla.

Emma ferma les yeux. Au lieu de la réconforter, les paroles de cette femme réveillèrent ses angoisses.

La malédiction de Camilla...

— Ça va mieux, dit-elle à Damien. Vous pouvez me reposer.

Elle s'écarta de lui à contrecœur pour suivre Mme Burrows, qui se dirigeait vers la porte par laquelle son père avait disparu.

Damien posa délicatement sa main entre ses omoplates pour l'encourager. Malgré toutes ses réticences, elle se laissa entraîner à l'intérieur du manoir de Saint-Yve, quartier général du Cadre.

La luxueuse entrée du manoir était tapissée de moquette rouge et meublée de fauteuils en velours cramoisi. Des guéridons en acajou soutenaient des lampes Tiffany qui projetaient des reflets multicolores sur les murs de pierre grise. De délicates tapisseries qui représentaient des paysages féeriques peuplés de licornes réchauffaient la pièce.

Pourtant les yeux d'Emma ne cessaient de revenir se poser sur la moquette dont le rouge était si profond qu'elle semblait onduler sous ses pieds, comme si elle marchait sur le cœur du château.

Elle secoua la tête sans parvenir à dissiper son impression et suivit péniblement Mme Burrows dans un escalier à la rambarde ornée de pointes métalliques. La même moquette l'attendait dans le couloir de l'étage.

Peut-être avait-elle besoin de se reposer, comme Damien l'avait dit... Elle recommençait à croire qu'elle n'aurait jamais dû le suivre en cet endroit, et encore moins quitter son père des yeux.

Alors qu'elle s'apprêtait à demander une nouvelle fois à le voir, Mme Burrows s'arrêta devant une porte sur laquelle on avait peint un paon magnifique. Ses plumes bleu, vert et doré étaient d'une beauté à couper le souffle, et ce spectacle aurait été absolument enchanteur si son bec et ses griffes n'avaient transpercé un énorme serpent.

— Nous avons fait préparer vos chambres, annonça Mme Burrows. Damien, tu dormiras dans la chambre du Dragon, qui se trouve deux portes plus loin.

Emma frémit en songeant à la peinture qui devait orner sa porte.

Mme Burrows ouvrit la porte de la chambre la plus luxueuse qu'Emma ait jamais vue et les invita à y entrer. Soulagée par la dominante de verts et de bleus, Emma avança prudemment.

— Merci, Nica, dit Damien.

Mais Emma l'entendit à peine et s'effondra dans le fauteuil le plus proche en fermant les yeux.

— Enchanté..., murmura-t-elle.

Cet endroit était un cauchemar enchanté...

— Une longue journée et beaucoup de travail nous attendent si nous voulons avoir une chance de vaincre cette chose, répondit Mme Burrows. Essayez de vous reposer.

Emma ouvrit les yeux pour observer son image floue.

— Pardon ? Que voulez-vous dire ?

— Je me doute que vous en savez peu sur nous et nos activités... Pourtant nous ne vous avons pas amenée ici pour vous protéger des loups et de la malédiction. Nous voulons vous aider à combattre ce fléau et nous avons l'intention d'en triompher. Mais nous n'y parviendrons pas sans vous… C'est pourquoi il est indispensable que vous repreniez des forces.

Emma ne se soucia ni de son ton ni de la manière dont cette femme la toisait.

— Un mal primitif hante la Pluie-de-Loups, poursuivit Mme Burrows. Nous avons l'intention de le capturer pour mettre un terme aux tourments qu'il inflige.

— Je suis ravie de l'entendre, riposta Emma en se redressant et en croisant les jambes. Mais je ne dormirai pas et je ne vous aiderai en rien tant que je ne me serai pas assurée que mon père va bien.

— Vous pourrez le voir demain.

Emma serra les poings et la fusilla du regard.

— Non. Je veux voir mon père maintenant. Je ne vous aiderai qu'à cette condition.

Emma desserra ses mâchoires, qui commençaient à lui faire mal, mais ne quitta pas un instant Mme Burrows des yeux. Celle-ci soutint son regard un long moment avant de se tourner vers la porte.

— Très bien. Suivez-moi.

Surprise de ne pas rencontrer davantage de résistance, Emma se leva en vacillant.

— Bravo, lui chuchota Damien à l'oreille.

Ses encouragements inattendus lui réchauffèrent le cœur. Il lui tapota l'épaule, puis se dirigea vers la porte.

— Nica ?

Mme Burrows se tourna vers lui sans dissimuler sa contrariété.

— Je n'aurai pas besoin de la chambre du Dragon, lui annonça-t-il. Si tu veux bien me laisser accéder au donjon pour y prendre des cristaux, je vais repartir immédiatement à la Pluie-de-Loups.

— Quoi ? s'écria Emma en accourant pour lui saisir le bras. Vous partez ?

— Tout va bien se passer, lui assura-t-il avec douceur. Vous ne courez aucun risque entre ces murs.

— Vous vous moquez de moi ? Dans ce château ? s'écria-t-elle, au bord de l'hystérie, en écartant les bras.

Son regard chargé de tristesse et de regret la fit paniquer.

— Je vous en prie…, le supplia-t-elle. Cet endroit a l'air de sortir du rêve d'un fou… Ne me laissez pas toute seule ici…

— Je suis désolé, murmura-t-il en lui caressant la joue. Je dois partir. Je vous promets qu'il ne va rien vous arriver.

Elle s'écarta vivement de lui, étouffée par la colère, le chagrin et le sentiment d'avoir été trahie. Il l'abandonnait au milieu de ce cauchemar…

— On vous enseignera tout ce que vous avez besoin de savoir, ajouta-t-il. Et si je fais bien mon travail, vous allez pouvoir rentrer chez vous et n'aurez plus jamais à vous soucier des loups…

— Ni des vampires ? lui demanda-t-elle.

Damien jeta un bref coup d'œil à Nica.

— Je l'espère.

Elle le fixa en se demandant pourquoi elle était

si surprise. Pourquoi serait-il resté auprès d'elle ?
Il avait pour mission de la livrer au Cadre et c'était
exactement ce qu'il avait fait. Tout ce qu'elle avait
cru percevoir entre eux n'était que le fruit de son
imagination. Comme elle avait été stupide…

Comment avait-elle pu croire qu'il y avait quelque
chose entre eux et qu'il se souciait d'elle ? Ils n'avaient
passé qu'une nuit ensemble, même si elle avait été
la plus riche en événements de toute sa vie. Emma
ne pouvait plus qu'espérer qu'elle allait le rester.

— Très bien, répondit Nica à Damien. Mais
accompagne-nous d'abord auprès du père d'Emma.
Nous avons besoin de discuter de certaines choses.

Damien scruta son visage de poupée sans y
percevoir la moindre émotion. Comme d'habitude…
Pour que Nica puisse en exprimer une, il faudrait
déjà qu'elle en ressente… Or, il ne l'avait jamais vue
éprouver quoi que ce soit, contrairement à Emma,
dont la sensibilité exacerbée se reflétait dans ses
yeux exquis.

La confiance qu'elle avait placée en lui et sa vulnérabilité lui brisaient le cœur. Il ne pourrait jamais lui
offrir ce dont elle avait besoin : un homme sur lequel
elle pourrait s'appuyer. On l'avait qualifié de bien
des choses au fil des siècles, mais jamais de héros.

Il soupira. Mieux valait qu'Emma perde toute
illusion sur lui dès maintenant, puisqu'elle n'aurait
pas manqué de s'enfuir à toutes jambes en découvrant la vérité sur lui. Il suivit Nica dans de longs

couloirs en évitant le regard d'Emma pour ne pas y lire sa déception.

Lorsqu'ils atteignirent le centre médical, Emma et lui attendirent à la porte de la chambre de M. McGovern tandis que Nica parlait à voix basse avec une infirmière. Emma s'agitait nerveusement. Il sentait son regard peser sur lui et la tristesse qui émanait d'elle. Elle avait besoin qu'il la prenne dans ses bras et lui assure que tout allait bien se passer. Il ne demandait pas mieux mais jugea préférable de se l'interdire. Il ne pouvait faire qu'une chose pour elle : espérer que l'état de son père n'avait pas empiré et que les médecins du Cadre allaient pouvoir l'aider.

Nica et l'infirmière les invitèrent du geste à pénétrer dans la chambre de M. McGovern. Celui-ci était allongé dans un lit, sous perfusion et équipé d'un masque respiratoire. Il semblait minuscule et vulnérable… C'était un homme brisé par la vie. Emma se précipita vers lui en poussant un cri étouffé. Damien eut envie de courir derrière elle pour la réconforter, mais il se l'interdit encore.

Il ne pouvait la laisser devenir dépendante de lui.

— J'ai appelé le médecin, annonça l'infirmière. Il sera bientôt là.

Emma s'assit près du lit, fixa son père de ses grands yeux emplis de larmes et lui prit la main. Ce geste infiniment simple bouleversa Damien. Cela faisait si longtemps qu'il ne s'était pas occupé de quelqu'un à ce point. Si longtemps que personne ne se souciait de lui…

— Excuse-moi, Emma…, intervint Nica. Est-ce que ça t'ennuierait d'attendre le médecin toute seule ?

Emma hocha la tête et leurs regards se rencontrèrent un instant. Elle voulait encore qu'il reste auprès de lui. Son désir réveilla quelque chose qu'il croyait mort au fond de lui. Il prit brusquement conscience qu'il voulait rester auprès d'elle et lui offrir son soutien, mais c'était impossible… Il avait un travail à finir. Il n'était pas question qu'il le néglige pour attendre à ses côtés l'instant où elle allait reculer d'horreur en découvrant qu'il n'était pas humain.

Il se détourna d'elle et quitta la chambre. Nica et lui quittèrent le centre médical en silence, tous deux perdus dans leurs pensées. Damien était certain qu'elle voulait lui parler des vampires. Le Cadre savait-il que Nicholaï était à leur tête ? Avait-il la moindre idée de sa puissance ?

Sans doute pas. Si cela avait été le cas, le Cadre n'aurait pas manqué de le traquer. Il l'aurait fait capturer et emmurer dans le donjon. Contrairement aux démons, les vampires ne pouvaient pas être capturés dans des cristaux ou expédiés dans le Royaume de l'Ombre. Aussi se contentait-on de les plonger dans une sorte de coma et de les placer dans des cercueils qu'on enterrait sous le château ou qu'on faisait disparaître derrière des murs.

Lui-même aurait préféré mourir.

Il soupira. C'était l'un de ses points de désaccord avec le Cadre, l'une des raisons pour lesquelles il devait s'en éloigner au plus vite. Il allait retourner s'occuper de Nicholaï et d'Asmos comme cela lui semblait juste.

Nica s'engagea dans un nouveau couloir.

— Ça ne sera pas long, annonça-t-elle en s'arrêtant subitement pour ouvrir une porte.

— Qu'est-ce que… ?

Damien s'interrompit au milieu de sa phrase, pétrifié par la surprise.

Cara.

9

Son cœur se serra. Elle ne ressemblait plus au souvenir qu'il avait gardé d'elle. La Cara dont il avait pieusement conservé l'image dans sa mémoire avait les joues bien roses et de longs cheveux brillants qui lui tombaient sur les épaules.

Celle qu'il avait sous les yeux était pâle et émaciée. Ce n'était plus qu'une coquille vide depuis la lutte qu'elle avait menée contre le démon qui l'avait possédée et l'exorcisme qui lui avait fait perdre l'esprit.

— Pourquoi m'as-tu amené ici ? demanda-t-il d'une voix à peine audible.

— Nous devons parler d'elle, répondit Nica d'une voix neutre, comme si Cara était un problème à résoudre et non une personne.

— Pourquoi ? Est-ce que quelque chose a changé à part... ce qui saute aux yeux ? répliqua-t-il en sentant la colère le gagner.

— Je sais que c'est difficile pour toi...

— Difficile pour moi ? s'écria-t-il en se détournant de Cara pour aller se planter devant Nica. Tu n'imagines même pas à quel point ! Je vous avais dit que ce démon était trop puissant pour que nous parvenions à le capturer dans le cristal ! Je vous avais dit qu'il fallait le tuer… Mais le Cadre n'a pas voulu m'écouter et elle en a payé le prix.

Nica ne tressaillit même pas.

— Ce démon était-il plus fort qu'Asmos ? l'interrogea-t-elle presque aussitôt.

Damien hésita. Il n'était pas certain de connaître la réponse.

— Asmos et le démon qui a possédé Cara viennent tous deux du septième royaume, répondit-il. Nous savons très peu de choses sur cette dimension. Ils sont très anciens, très puissants… trop pour que vos agents les affrontent seuls. Ce qui est arrivé à Cara en est la preuve.

Il se tourna vers sa partenaire qui n'allait plus jamais ouvrir les yeux pour le regarder et soupira.

— Que suggères-tu ?

— Que tu attendes qu'Emma soit prête à combattre Asmos avec toi.

Il fit volte-face.

— Es-tu folle ? Ce brin de fille n'a aucune chance contre Asmos ! Nous avons tout juste réussi à sauver notre peau, ce soir…

— Nous devons unir nos forces, Damien, insista Nica sans changer de ton. Tu ne t'en sortiras pas tout seul… pas cette fois.

Il tendit la main pour caresser les cheveux de Cara en se laissant gagner par les regrets.

— Et vous voulez que j'entraîne une innocente dans cette bataille ?

— Elle est la dernière de la lignée des McGovern. C'est la seule à pouvoir attirer Asmos hors d'atteinte des loups et tu ne pourras le capturer que pendant le bref instant où il changera de vaisseau.

— Tu sais que ce genre de capture est presque impossible à réaliser...

— Tu n'es pas n'importe quel chasseur de démons, Damien...

— Et si j'échoue ? Si quelque chose se passe mal ? Alors Asmos la possédera et sa haine lui fera perdre l'esprit... Il n'est pas juste de lui faire courir un tel risque. Laissez-moi y retourner seul. Je n'ai rien à perdre...

— Si tu essaies de capturer Asmos tout seul, tu mourras, Damien. Et il y a de grandes chances qu'il réussisse à la posséder... C'est votre seul espoir. Si tu veux la sauver, commence par te sauver toi-même... Tu n'échoueras pas.

Sur ces mots, elle quitta la pièce pour le laisser seul avec la preuve que les choses pouvaient très mal tourner.

Il tira une chaise près du lit et contempla Cara pendant un long moment. Sa poitrine se soulevait et s'abaissait régulièrement. Elle avait été si jolie, si pleine de vie... A présent, par sa faute, ce n'était plus qu'une coquille vide. Il avait été trop lent, et voilà qu'ils voulaient lui faire retenter l'expérience...

Si tu veux la sauver, commence par te sauver toi-même... Tu n'échoueras pas.

Les paroles de Nica lui semblaient bien ironiques...

Il se pencha pour prendre la main de Cara. Sa peau était si tiède et si douce qu'il s'attendit presque à la voir ouvrir ses beaux yeux noisette et lui sourire. Mais elle resta parfaitement immobile.

Damien pressa son front sur la main de Cara, ferma les yeux, et laissa la culpabilité et la terreur l'envahir. Il songea à Emma, que le démon de la colère avait choisie comme prochain vaisseau. Pourquoi ? Parce qu'elle avait le malheur d'être une McGovern. Qu'allait-il arriver à son âme s'il échouait de nouveau ? Allait-elle être exilée dans un royaume démoniaque en ne laissant derrière elle qu'une enveloppe vide ? Ou allait-elle rester piégée en elle tandis que le démon se servirait de son corps pour commettre des atrocités ?

Il serra les poings en sentant la rage le gagner. Cela n'allait pas se reproduire. Il ne pouvait peut-être plus rien pour Cara, mais il n'allait pas laisser Asmos tourmenter plus longtemps une innocente.

Il pressa la main de sa partenaire.

— Je suis désolé, Cara, lui murmura-t-il à l'oreille.

Alors il réprima les émotions qui lui faisaient venir les larmes aux yeux et quitta la chambre sans un regard en arrière.

Le sang jaillit comme d'une source pour s'infiltrer entre les pierres, s'écouler le long des murs, emplir les gouttières et tomber en cascades des gueules ricanantes des gargouilles.

Emma se réveilla en sursaut et s'assit dans son lit, le souffle court. Les rayons de lune qui filtraient par la fenêtre baignaient sa chambre d'une lumière surnaturelle. Elle fut certaine d'entendre des loups hurler au loin comme pour la supplier de rentrer chez elle.

Ses cicatrices la brûlaient.

Elle se frotta les bras par réflexe, se leva et se dirigea vers la fenêtre en s'enfonçant dans une épaisse moquette dorée. Elle scruta les bois environnants pour repérer la course furtive des loups mais ne vit rien. Elle avait encore rêvé...

Emma n'avait pu s'empêcher d'espérer que la malédiction et les cauchemars allaient la laisser en paix à Saint-Yve. Mais ils étaient toujours là, tapis au fond de son esprit.

On frappa doucement à sa porte. Surprise, elle alluma la lumière, enfila une épaisse robe de chambre bleue qu'elle trouva dans l'armoire et entra dans le salon de sa suite.

— Qui est là ? demanda-t-elle en s'approchant de la porte.

— Damien.

Sa voix la caressa comme du velours à travers la porte. Son cœur manque un battement et elle se passa hâtivement les doigts dans les cheveux avant d'ouvrir la porte.

Il était appuyé contre le chambranle et semblait épuisé.

— Vous êtes encore là, constata-t-elle en s'efforçant de dissimuler son plaisir.

— J'espère que je ne vous ai pas réveillée...

Elle esquissa un sourire triste.

— Non. Les cauchemars ne m'ont pas quittée.

— Ils sont affreux ?

Elle acquiesça.

— Je voulais vous prévenir que j'allais rester un peu plus longtemps. Vous paraissiez... contrariée, tout à l'heure.

Lui-même semblait vaincu. Emma eut la nette impression qu'il évitait son regard.

— Est-ce que tout va bien ? s'inquiéta-t-elle.

— Non, reconnut-il avec une sincérité qui la surprit.

Elle recula pour l'inviter à entrer.

— S'agit-il de votre amie ? l'interrogea-t-elle en se souvenant des cruautés d'Ophélia.

— Non. Oui. Je veux dire... Il lui est arrivé quelque chose. Elle est dans une sorte de coma.

— Je suis désolée...

Il s'approcha pour lui caresser les cheveux. Emma parvint à rester immobile alors qu'elle mourait d'envie de l'attirer dans ses bras, non seulement pour en tirer du réconfort, mais aussi pour le réconforter, *lui*. Etrangement, il semblait avoir besoin d'elle...

Alors elle inspira profondément pour humer son parfum et le graver dans sa mémoire. De la sorte, elle pourrait s'en souvenir après son départ, comme elle se souvenait de la manière dont il souriait en la regardant...

Sauf qu'en cet instant il était sérieux.

— C'était une chasseuse de démons, reprit-il en brisant le fil de ses pensées. Sa dernière mission s'est mal passée...

— Une chasseuse de démons, répéta-t-elle d'une voix hésitante. Y en a-t-il beaucoup d'autres ? Des démons, je veux dire...

Cette idée la mettait très mal à l'aise.

— Bien plus que vous ne pouvez l'imaginer.

— Oh...

Son estomac se noua.

— Tous ne sont pas maléfiques, expliqua-t-il. Certains sont juste mortellement ennuyeux... Certains se délectent de nos malheurs, d'autres se nourrissent de nos émotions et apparaissent quand on les invoque. D'autres encore, plus rares, cherchent à obtenir ce que nous avons : une enveloppe corporelle qui nous permet d'aimer, de rire et de sentir le soleil sur notre peau.

Emma le fixa sans savoir quoi penser.

— Et elle chassait des démons ?

— Oui. Comme moi. Nous faisions équipe... Mais je chasse seul, désormais, conclut-il en s'installant sur le canapé. Que savez-vous de cet endroit ? Que savez-vous des activités du Cadre ?

— Peu de choses, répondit-elle en s'asseyant près de lui. Ces gens semblent vouloir m'aider... Lucia les a toujours tenus pour responsables de la mort de ma mère, mais elle ne m'a jamais vraiment expliqué pourquoi.

— De quoi vous souvenez-vous ?

L'image de sa mère qui la tirait par le bras avec un sourire mauvais passa dans son esprit. Elle ferma les yeux et inspira profondément pour lutter contre ses crampes d'estomac qui s'aggravaient.

— De presque rien.

Lorsqu'il lui prit la main, Emma se laissa captiver par ses yeux d'un bleu surnaturel.

— Lorsque nous étions à la grille, tout à l'heure, le vieux couple...

— Ils étaient horribles ! l'interrompit-elle en frémissant.

— Je vous ai expliqué qu'ils étaient les gardiens du château. Ils ont pour tâche de chasser les démons qui n'ont pas été invités.

— … qui n'ont pas été invités, répéta Emma, que cette idée fit ricaner. Le vieillard a dit que « l'essence » coulait dans mes veines… De quoi parlait-il ?

Il prit ses mains dans les siennes et les caressa doucement sans détourner les yeux. Emma sentit son cœur s'affoler et un léger vertige la força à s'appuyer contre les coussins du canapé. Lorsque Damien se pencha vers elle, elle posa une main sur son torse pour sentir la chaleur de sa peau et empêcher le monde de tanguer.

— Vous pouvez me faire confiance, murmura-t-il. Je ne laisserai personne vous faire de mal.

La caresse de ses doigts sur sa gorge la fit frissonner des pieds à la tête et éveilla son désir.

— Quel sort m'avez-vous jeté ? répondit-elle d'une voix à peine audible.

— Celui que vous m'avez jeté vous-même.

Ses doigts effleurèrent les affreuses cicatrices que lui avait laissées la morsure du loup.

Elle aurait voulu fuir ce contact mais ne trouvait pas la force de faire un geste… et elle voulait encore plus presser ses lèvres contre les siennes.

— Quand les loups vous ont attaquée, ils ont laissé quelque chose en vous.

Sa voix chaude et grave l'apaisait merveilleusement.

— Une essence, poursuivit-il. C'est grâce à elle

qu'ils savent toujours où vous êtes et qu'ils vous retrouveront quand le moment sera venu.

De quoi parlait-il ? Pourquoi le mot « essence » revenait-il sans cesse dans sa bouche ?

— Ce démon de la colère, Asmos... Il vit dans les loups. Il attend la nuit de l'équinoxe et l'accomplissement de la malédiction. Il attend que vous tombiez amoureuse, que vous fassiez l'amour... Il attend de pouvoir faire de vous son prochain vaisseau.

Les yeux d'Emma s'écarquillèrent lentement lorsque ses mots pénétrèrent le brouillard de son esprit.

— Moi ? Mais pourquoi ? murmura-t-elle.

— A cause de la malédiction. Vous êtes la dernière de votre lignée, sa seule chance de rester dans ce monde pour toujours...

Elle s'écarta de lui et se leva.

Il vint se placer derrière elle, posa ses mains sur ses épaules et se pencha pour chuchoter à son oreille.

— Je ne le laisserai pas vous posséder. Quand le moment viendra, concentrez-vous sur moi, sur ma voix... Je vous sauverai. Je nous sauverai tous les deux.

Elle fit volte-face.

— Comment ? Comment comptez-vous l'en empêcher ? Comment un homme peut-il se dresser contre un démon ?

Cette idée était si ridicule qu'elle avait envie d'en rire, mais c'était au-dessus de ses forces.

— Nous l'en empêcherons ensemble. Vous possédez son essence... Je vous apprendrai à vous l'approprier pour vous en servir contre lui.

— Je ne suis pas un démon, balbutia Emma. Je ne suis pas maléfique...

— Vous n'êtes pas maléfique parce que vous avez choisi de ne pas l'être. Les humains ne sont pas les seuls à disposer de ce choix. Ce sont nos actions qui font de nous ce que nous sommes.

— Voilà qui est bien dit, commenta Nica en entrant dans la chambre.

Emma se retourna vers elle en tâchant de dissimuler sa surprise.

— Personne ne dort donc jamais, dans ce château ?

— J'espère que je ne vous dérange pas, dit Nica en s'installant dans le fauteuil qui faisait face au canapé. J'ai trouvé la porte ouverte.

— Bien sûr que tu nous déranges, mais il ne faudrait surtout pas que ça t'arrête, répliqua Damien d'une voix légèrement agacée. Alors, as-tu tout entendu ou seulement ce qui t'intéressait ?

— Tout ce qui vous concerne m'intéresse... Et il a raison, Emma : le choix vous appartient. Vous avez le pouvoir de combattre Asmos. Votre destinée est entre vos mains. Nous ne pouvons que vous aider...

— Comment ? demanda Emma, qui pensait plus que jamais qu'elle n'aurait pas dû mettre les pieds dans cet endroit. Je ne comprends pas...

— Vous devez nous raconter ce qui est arrivé à votre mère. Nous devons savoir de quelle manière précise la possession doit s'accomplir.

La nausée la reprit.

— Je n'étais qu'une enfant... Je ne m'en souviens plus.

— Mais vous en rêvez, n'est-ce pas ?

Emma la fixa avec terreur.

— Je n'y retournerai pas… Et je refuse d'essayer de me souvenir…

— Vous ne serez pas seule, Emma. Nous serons là pour vous aider et vous guider…

— Mais pourquoi ? C'est arrivé il y a longtemps et ma mère est morte…

— Nous avons besoin de connaître le déroulement exact des événements qui ont précédé sa mort. Il ne faut pas que quelque chose vous surprenne ou vous distraie lorsque vous affronterez Asmos.

Sa voix était parfaitement neutre et son visage n'exprimait aucune émotion.

— Essayez de vous souvenir de ce qui s'est passé dans le cellier, cette nuit-là… la nuit où les loups vous ont attaquées, votre mère et vous…

— Non, gémit Emma, saisie d'une sueur froide.

— Ça suffit, Nica, intervint Damien. Nous devrions partir. Emma a besoin de repos.

Il passa son bras autour de sa taille dans un geste protecteur qui la réconforta plus qu'elle ne voulut l'admettre. Il lui donnait envie de poser sa tête sur son épaule et de fermer les yeux pour fuir ce cauchemar.

— Tu ne peux pas la protéger de ça, Damien. Elle doit accepter de regarder la vérité en face. Nous ne pourrons pas l'aider tant qu'elle continuera à se voiler la face.

Il se passa la main sur le visage avec lassitude.

— Je comprends. Mais la journée a été longue pour tout le monde…

Nica quitta son fauteuil pour s'approcher d'Emma.

— Je sais que vous devez vous sentir dépassée par ce qui vous arrive, mais vous allez devoir abattre les remparts derrière lesquels vous vous êtes réfugiée si vous voulez survivre. Vous allez devoir vous souvenir.

Non ! hurla la petite fille en Emma tandis qu'elle fermait les yeux et tâchait d'ignorer les paroles de Nica. Mais les images de cette nuit-là s'imposaient impitoyablement à son esprit. Il y avait tant de sang…

— Vous allez devoir affronter la vérité. Ce ne sera pas aussi dur que vous le croyez. Elle est juste là, conclut Nica en posant son doigt sur son plexus.

Alors Emma sentit que quelque chose se brisait au fond d'elle.

10

Le lendemain, Emma se réveilla avec un espoir prudent et le visage de Damien à l'esprit. Ses regards intenses et la douceur de ses caresses la hantaient. Alors elle se souvint de toutes les choses qu'il lui avait dites et se mit à trembler. Elle tourna les yeux vers le réveil posé sur la table de nuit qui affichait 14 h 12.

Comme elle n'était guère pressée d'affronter ce qu'il restait de cette journée, elle observa sa chambre avec curiosité. Une série de tableaux représentant des petites filles qui jouaient sur une plage ornait l'un des murs. Il y avait une grande plante verte dans un coin et les rideaux de soie bleu pâle ne laissaient filtrer que quelques rayons de soleil. C'était une chambre magnifique, située dans un très beau château aux secrets inquiétants.

Elle regretta un instant qu'il ne lui suffise pas de fermer les yeux pour se réveiller dans sa chambre au manoir de Pluie-de-Loups. Elle aurait tant aimé sentir le parfum du café que préparait Lucia et n'avoir jamais entendu parler ni d'une malédiction, ni de démons, ni de vampires… Mais alors elle ne connaîtrait pas non plus Damien.

— Damien, murmura-t-elle pour le seul plaisir d'avoir son nom sur les lèvres.

Qu'éprouverait-elle s'il la prenait dans ses bras pour la caresser et l'embrasser ? C'était le premier homme qui lui donnait l'impression d'être belle lorsqu'il la regardait. Son regard la dévorait tout entière sans s'arrêter à ses cicatrices.

Son estomac gargouilla. Elle se leva en soupirant pour entrer dans la luxueuse salle de bains. Elle s'arrêta devant le miroir pour observer les trois entailles qui lui barraient la joue. De l'essence de démon… Elle ne la sentait pas et ne voyait rien. Elle était pourtant là et la rendait spéciale. D'après Damien, elle pouvait même s'en servir pour triompher du démon.

— Ça doit être quelque chose, marmonna-t-elle avant de contempler avec regret l'immense baignoire.

Il lui aurait suffi de s'y prélasser une demi-heure pour se sentir une autre femme, mais il était déjà tard et elle devait aller prendre des nouvelles de son père. Elle jeta un dernier regard languissant à l'ovale de porcelaine, puis prit une douche rapide et s'habilla. Malgré tous ses problèmes, c'était de la santé de son père qu'elle se souciait le plus. L'avis de Damien importait peu… Si le Cadre ne pouvait pas aider son père, elle allait l'emmener voir le Dr Callahan à Londres.

Emma ne savait pas ce qui l'attendait dans la chambre de son père, mais elle n'imaginait certainement pas le trouver assis dans son lit en train de manger l'un de ses plats préférés, le sourire aux lèvres.

L'infirmière qui était assise près de son lit et riait avec lui se leva en la voyant.

— Bonjour, mademoiselle McGovern ! lui lança-t-elle. Votre père va beaucoup mieux.

— Je vois ça…

— Nous allons le remettre sur pied en un rien de temps, ajouta-t-elle en lui tapotant la jambe avant de redresser les oreillers qui le soutenaient.

Emma avait beaucoup de mal à croire que la nuit qu'il avait passée à Saint-Yve avait suffi à guérir son cœur.

— Que voulez-vous dire par « le remettre sur pied » ?

— Le médecin lui a prescrit de la rééducation. Dès que ses muscles recommenceront à fonctionner normalement, il devrait pouvoir se lever pour m'emmener danser…

— Et je suis un excellent danseur, vous pouvez me croire, se vanta son père.

L'infirmière lui offrit un sourire avant d'écarter sa veste de pyjama pour changer habilement un pansement sur son épaule.

— Qu'est-ce que c'est ? s'inquiéta Emma.

Mais elle n'eut qu'à s'approcher des marques familières pour deviner la réponse. Une morsure de loup…

— Une égratignure, répondit l'infirmière. Ne vous inquiétez pas, elle cicatrise proprement.

— Ça ne ressemble pas à une égratignure, lui

fit remarquer Emma en faisant le tour du lit pour regarder la blessure de plus près.

L'infirmière s'empressa de finir son pansement et de remettre le pyjama de son père en place.

— Ne vous en faites pas, mademoiselle McGovern. Nous prenons grand soin de votre père, conclut-elle en lui offrant un sourire professionnel avant de quitter la chambre.

— Tu l'as fait fuir ! se plaignit son père.

Emma le fixa désarçonnée.

— Je suis désolée, mais j'ai du mal à comprendre ce qui se passe. Ta blessure ne ressemble pas du tout à une égratignure… Pourquoi a-t-elle fait tout son possible pour m'empêcher de la voir ?

— Quelle importance ? Je ne me suis pas senti aussi bien depuis des années ! Peut-être avais-je seulement besoin de quitter ce vieux manoir humide… Maintenant, fais-moi le plaisir de sourire et arrête de faire peur aux infirmières. Ça fait une éternité qu'on ne s'est pas autant occupé de moi.

Emma se sentit fondre lorsqu'il lui fit un clin d'œil comme il en avait l'habitude quand il était plus jeune.

Elle s'installa dans le fauteuil. Même si elle ne comprenait pas comment il avait pu récupérer si vite, elle était heureuse de le voir en forme.

— Veux-tu que je te plante une aiguille dans un doigt de pied pour te donner une raison de la rappeler ? chuchota-t-elle en se penchant vers lui.

— Très drôle.

Il reporta son attention sur son assiette et sépara méticuleusement les poivrons des pommes de terre.

— Comment te sens-tu ? lui demanda-t-il. Tu as l'air en forme, toi aussi. Pas trop bougonne…

— Je ne suis pas bougonne ! se défendit-elle en secouant la tête. J'ai bien dormi. Enfin je crois…

A vrai dire, elle ne savait pas comment elle se sentait, et encore moins quoi penser de la situation. Elle lui vola une gorgée de jus d'orange.

— Des cauchemars ?

— Pas que je m'en souvienne… Mais ça ne va sans doute pas durer.

— Pourquoi ?

Comme elle ne savait pas par où commencer, ni même ce qu'elle voulait lui dire, elle se tut pendant quelques instants.

— Je suis désolée pour ce qui est arrivé hier, papa, murmura-t-elle en lui posant sa main sur le bras. J'aurais dû t'écouter. Nous aurions dû venir ici plus tôt…

Elle esquissa un sourire.

— Visiblement, c'était ce dont tu avais besoin, conclut-elle.

Mais sa convalescence miraculeuse était-elle due aux médecins du Cadre ? Elle baissa les yeux vers son épaule. Si l'un des loups l'avait mordu, lui avait-il communiqué son « essence » ? Etait-ce la véritable raison de l'amélioration soudaine de son état ?

Emma se rappela tout à coup qu'elle n'avait jamais été malade. Elle n'avait même pas attrapé un simple rhume… Lucia disait en plaisantant que c'était le bon côté de l'isolement dans lequel ils vivaient, mais Emma ne put s'empêcher de s'interroger.

Son père mordit dans une tranche de bacon.

— Tout va bien, la rassura-t-il. L'important, c'est que nous soyons venus. Le Cadre peut nous aider. Ces gens comprennent nos problèmes et nous offrent un asile.

Il posa sa tranche de bacon pour plonger son regard dans le sien.

— Tu peux trouver la paix, ici. Il suffit que tu leur fasses confiance, Emma.

L'intensité de son regard lui fit baisser les yeux.

— Je ne sais pas, papa... Les choses ne me paraissent pas tout à fait normales, ici.

Il pinça les lèvres.

— Ils veulent que je me souvienne de ce qui s'est passé la nuit de la mort de maman, expliqua-t-elle en s'attendant à le voir s'étrangler de rage.

A la place, elle vit son regard s'emplir de tristesse.

— Tu dois te montrer coopérative. Fournis-leur toutes les informations qu'ils te demandent.

Emma n'en crut pas ses oreilles.

— Mais tu n'as jamais voulu que je parle de ces événements... Et tu veux maintenant que je laisse sortir ce que j'ai gardé pour moi pendant toutes ces années ?

Elle bondit, marcha jusqu'à la fenêtre, en revint, s'appuya sur le dossier du fauteuil et inspira profondément.

— Je ne comprends pas, résuma-t-elle.

— Je suis désolé. J'ai eu tort. J'aurais dû les laisser revenir quand ta mère est morte. Surtout après ce qui était arrivé à M. Lausen. Nous aurions sans doute vécu bien différemment...

— Comment peux-tu dire ça ? Comment peux-tu

avoir changé d'avis après avoir passé une seule nuit dans ce château ?

— Parce que je connais la vérité, à présent. Je comprends ce qui s'est passé. Tu ne dois plus partir d'ici, Emma. Si tu retournes à la Pluie-de-Loups, *il* te trouvera.

— Qui ? demanda-t-elle d'une voix tremblante.

— Assieds-toi, Emma.

Elle reprit place dans le fauteuil à contrecœur, en regrettant que Lucia ne soit pas là pour l'épauler.

Son père se pencha vers elle et la fit tressaillir en lui serrant la main trop fort.

— Promets-le-moi, Emma, la supplia-t-il. Promets-moi de ne jamais partir d'ici. Si tu quittes ces murs, la malédiction trouvera un moyen de s'accomplir et tu mourras.

Emma resta abasourdie pendant quelques instants, puis commença à comprendre. Il était terrifié pour elle... Mais pourquoi ? Qu'y avait-il de nouveau depuis la veille ? Elle tira doucement sur sa main pour l'inciter à la lâcher.

— Je ne peux pas passer le reste de ma vie enfermée dans ce mausolée, lui fit-elle remarquer.

— Bien sûr que si, insista-t-il. Tu peux avoir une vie presque normale dans ce château. Je ne supporterais pas de te perdre aussi... Est-ce que tu comprends, Emma ?

Ses paroles et l'intensité de son regard la terrifièrent. Qu'avait-il donc appris ?

— De quoi s'agit-il, papa ? Qu'est-ce que tu me caches ?

Il baissa les yeux et refusa de répondre.

— Je suis désolée, papa. Je ne peux pas te promettre de rester ici. Je n'ai pas l'intention de me cacher toute ma vie.

Elle se leva.

— Attends !

Emma inspira profondément et s'attendit au pire.

— De quoi te souviens-tu ?

Elle refusa de répondre à son tour. Il n'était pas question qu'elle parle des événements de cette nuit-là, ni avec lui ni avec personne.

— Nous devons le savoir, Emma.

— Parce que c'est « nous », maintenant ?

— Il est inutile de me reprendre sur des détails et il serait stupide de t'obstiner davantage.

— Très bien. Je ne me souviens de presque rien, d'accord ?

— Mais tu en rêves ?

Elle soupira.

— La plupart des nuits... Si souvent que je ne suis plus capable de faire la différence entre mes véritables souvenirs et ce qui provient de mes rêves. Je ne peux pas raconter ce qui s'est passé à Nica si je n'en suis pas certaine...

— Peut-être pourrions-nous nous souvenir ensemble, lui suggéra-t-il avec douceur.

Elle devina une peine immense dans son regard et se demanda tout à coup ce qu'il avait lui-même vécu cette nuit-là. De quoi avait-il été témoin ?

— Je me souviens que maman m'a parlé. Je ne sais plus très bien à quel moment, mais je crois que c'était peu de temps avant sa mort. Elle m'a dit que je ne devais pas tomber amoureuse, que je devais briser la malédiction... Elle m'a demandé de le lui promettre.

— Je m'en souviens, commenta son père en hochant la tête.

— Etais-tu là ? Parce que je n'y comprends vraiment rien... Qu'est-ce que l'amour a à voir avec tout ça ?

Son père s'enfonça dans ses oreillers en soupirant.

— L'amour est la réponse à tout. Les gens vivent et meurent pour lui... C'est lui qui fait tourner le monde.

Emma songea à Damien pour le chasser aussitôt de son esprit. Que savait-elle de l'amour ? Elle avait passé toute sa vie au manoir de Pluie-de-Loups et pouvait compter sur les doigts de ses deux mains les gens qu'elle connaissait. Il était normal qu'elle prête des intentions romantiques au premier homme qui lui témoignait un peu d'intérêt... Mais elle serait stupide d'y croire et ne pourrait y gagner qu'un cœur brisé.

— Tant de gens n'agissent que par peur... Ils ont peur d'aimer, d'ouvrir leur cœur à quelqu'un... Ils font tant d'efforts pour contrôler leurs émotions qu'ils s'interdisent d'être vraiment heureux. Ta mère était ainsi. Ne commets pas cette erreur, Emma... Cours le risque d'aimer...

Emma écarquilla les yeux.

— Mais comment...

— C'est l'heure de votre séance de rééducation, monsieur McGovern, annonça l'infirmière en rentrant dans la chambre.

— Allez-vous vous charger vous-même de masser

mes pauvres muscles ? demanda son père avec un sourire malicieux.

Elle éclata de rire en débarrassant son plateau.

— Vous êtes un vrai démon, lui dit-elle en allant chercher un fauteuil roulant dans un coin de la chambre.

Elle aida son père à s'y installer et se tourna vers Emma avant de l'emporter hors de la chambre.

— Vous trouverez la salle à manger au bout du couloir à gauche, si vous avez faim.

Emma acquiesça.

— Merci.

Même si elle se croyait incapable de manger quoi que ce soit, elle prit la direction de la salle à manger en songeant à Damien. Elle ressentait un lien entre eux sans bien comprendre ce qu'elle éprouvait pour lui. Peut-être devait-elle tenter sa chance pour l'inciter à réagir, d'une manière ou d'une autre... Une chose était certaine : elle n'était pas prête à le voir disparaître de sa vie. C'était déjà un début de réponse...

— Vous voici ! s'écria Nica, qui venait d'apparaître devant elle, en brisant le fil de ses pensées. Etes-vous prête pour votre première séance d'entraînement ?

Emma écarquilla les yeux.

— Séance d'entraînement ?

Emma suivit Nica dans une grande pièce qui aurait très bien pu faire office de chapelle. Ses vitraux représentaient les différentes croyances religieuses de l'humanité et d'antiques tapisseries recouvraient les murs.

Emma en eut le souffle coupé et fut particulièrement éblouie par une tapisserie vivement colorée intitulée *La Roue du devenir*. Elle aurait pu passer une heure à l'observer dans ses moindres détails.

— Magnifique, n'est-ce pas ? commenta Nica. Les six quartiers de la roue représentent les six dimensions de l'existence : les royaumes des dieux, des démons, des humains, des animaux, des fantômes et l'Enfer.

— Fascinant, murmura Emma en trouvant les dieux plus effrayants que des démons.

Elle ne put s'empêcher de frémir avant de passer à la tapisserie suivante, couverte de symboles et d'animaux.

— Celle-ci représente la concorde entre le Ciel et la Terre, expliqua Nica. D'anciennes sociétés secrètes s'en sont servies comme d'un guide spirituel.

Elle lui en montra une autre.

— Les Chinois croient à l'existence de cinq éléments : le bois, le feu, la terre, le métal et l'eau, poursuivit-elle. Le bois nourrit le feu qui le dévore, celui-ci produit de la cendre qui génère la terre, celle-ci s'élève en montagnes d'où l'on extrait le métal, le métal attire ou sécrète l'eau, qui nourrit les plantes qui se transforment en bois pour parachever le cycle.

— Je vois, répondit Emma, qui ne voyait pas du tout.

Quel rapport ces tapisseries avaient-elles avec son entraînement ?

— C'est en vous servant de ces éléments que

vous pourrez combattre Asmos. Vous allez d'abord apprendre à vous concentrer grâce à la terre et à l'eau.

Elle tira de sa poche une longue chaîne en or à laquelle pendait une amulette celtique. Celle-ci était de bois magnifiquement sculpté, dans lequel étaient incrustés de petits morceaux d'argent.

— Le bois et l'argent vous protégeront, poursuivit-elle en lui mettant l'amulette dans la main. Les cristaux de la terre vous serviront d'armes, mais c'est surtout la puissance de votre désir et votre détermination qui vous permettront de triompher.

Emma fixa l'amulette, abasourdie, puis rencontra le regard de Nica.

— Alors c'est un combat perdu d'avance.

Nica posa sa main sur la sienne.

— Non. Hier, c'était un combat perdu d'avance. Aujourd'hui, nous allons vous aider à conquérir un avenir.

Nica continua à lui parler des tapisseries, l'une après l'autre, jusqu'à ce qu'elles aient fait le tour de la pièce. Alors elle se retourna et écarta les bras.

— Tout ce qui se trouve dans cette salle a une profonde signification historique. Nos membres ont collectionné tous ces objets à travers les âges parce qu'ils témoignent du voyage spirituel que l'homme a accompli sur tous les continents.

Emma leva les yeux vers le plafond constitué de grands panneaux sculptés maintenus par des poutres entrecroisées. Ne sachant pas quoi dire, elle ne put que poser la question qui la hantait depuis le début de ce cauchemar.

— Pourquoi ?

— Afin de mieux comprendre les démons et le rôle qu'ils jouent dans le monde des humains, expliqua Nica.

Emma acquiesça sans tirer grand réconfort de sa réponse. Avant tout, pourquoi existait-il des démons ? D'où venaient-ils ? Que voulaient-ils ? Elle prit brusquement conscience que ce devait être ces questions qui avaient justifié la fondation du Cadre. En conséquence, une seule importait vraiment : pourquoi elle ?

— Mais comment tout cela va-t-il m'aider à combattre le démon de Pluie-de-Loups ?

— Tout ce que nous avons appris depuis que Camilla a invoqué Asmos et maudit votre famille nous a convaincus qu'il existe un moyen de le combattre. C'est surtout une question de timing.

— Et les vampires ? Comment est-il possible de les combattre ?

Nica se raidit.

— Avec beaucoup de prudence, répondit-elle après quelques instants.

Emma déglutit péniblement.

— Je ne suis pas encore certaine de croire à l'existence de ce genre de choses…

— Vous feriez mieux, intervint Damien en entrant dans la pièce. Les vampires sont plus près de vous que vous ne le croyez.

Il souriait. Ce n'était pas un sourire conquérant, mais un sourire plein de gentillesse, intime, qui n'était destiné qu'à elle.

— Vous devez apprendre à les neutraliser,

expliqua Nica en regardant Damien approcher avec un sourcil levé.

— Ce qui est bien plus difficile que de les réduire en poussière, commenta sèchement Damien.

— Ce qui irait à l'encontre des principes du Cadre…, riposta Nica.

— Oui. Nous ne devons pas « faire de mal »… Comment pourrais-je l'oublier ? conclut-il d'une voix amère.

Emma les observa l'un après l'autre et recula d'un pas. Les tensions qu'il y avait entre eux la mettaient profondément mal à l'aise. Comment pouvaient-ils l'aider s'ils n'arrivaient même pas à se mettre d'accord sur ce qu'il fallait faire des vampires ?

— Peut-être vaudrait-il mieux que tu nous laisses, Damien, déclara Nica d'une voix légèrement menaçante.

— Je respecterai les règles, c'est promis, répondit-il en lui faisant un clin d'œil avant de se tourner vers Emma.

Emma se perdit dans ses yeux bleu acier. Elle était fascinée par le timbre de sa voix, l'assurance de sa démarche et sa certitude d'avoir raison. Elle en oublia tout à fait son environnement.

Nica se racla la gorge.

Emma se tourna vers elle à contrecœur et la fixa un long moment avant de comprendre que celle-ci attendait une réaction de sa part.

— D'accord. J'ai compris. Je dois rester concentrée.

Nica la récompensa en lui souriant pour la première fois.

— Très bien. Paul, que voici, va vous enseigner

quelques mouvements basiques d'arts martiaux, reprit-elle. Puisque vous n'avez pas beaucoup de temps, il ne vous expliquera que l'essentiel.

Emma se retourna pour découvrir avec surprise un Asiatique vêtu d'un ample kimono noir. Elle ne l'avait pas entendu approcher et n'avait même pas senti sa présence.

— Paul, le salua Damien en inclinant la tête.

Paul lui rendit sèchement son salut avant de se tourner vers Emma.

— Après cela, il va vous apprendre à vous servir des différents éléments dont je viens de vous parler, poursuivit Nica en se dirigeant vers un meuble vitré qui contenait des cristaux multicolores. Nous avons découvert que certains cristaux avaient des propriétés particulières. L'héliodore, par exemple, favorise l'intuition. Voici un bloc d'hématite.

Elle tendit un gros cristal à Emma.

— D'après une ancienne superstition, elle provient du sang des guerriers morts à la bataille qui s'infiltre dans la terre. Ce serait pour cette raison qu'elle prend une teinte rouge quand on la réduit en poudre.

— Charmant..., commenta Emma en lui rendant le cristal.

— Nous avons découvert qu'on pouvait affronter un être spirituel grâce à un élément naturel, reprit-elle en lui montrant une étrange baguette à pointe de cristal. Voici un P'ur-pa. C'est une très ancienne dague « magique » que l'on utilisait pour poignarder des démons et pratiquer des exorcismes.

— Une dague pour poignarder les démons ? répéta Emma, stupéfaite.

— Oui. Malheureusement, la plupart des humains possédés n'ont pas survécu à l'exorcisme.

— Je crois comprendre pourquoi…

Nica lui tendit ensuite un bloc de quartz laiteux en forme de pyramide.

— Aujourd'hui, nous employons des méthodes différentes.

Emma lui prit la pierre et la fixa en s'attendant à voir quelque chose se produire. Rien.

— Ce cristal permet de capturer des démons. En général, il faut naître avec des pouvoirs magiques pour être capable de s'en servir. L'essence du démon qui coule dans vos veines vous le permettra. Nous vous enseignerons à concentrer cette énergie, à vous l'approprier…

— Je ne me suis toujours pas faite à l'idée que je possède cette… *essence*.

— Elle est en vous. Vous ne devez pas en avoir peur. Vous devez accepter son pouvoir et le faire vôtre.

Emma acquiesça alors qu'elle ne sentait vraiment aucun pouvoir en elle. De quoi Nica parlait-elle donc ?

— Que savez-vous de la magie ? demanda Paul en approchant.

— Ça va aller, Paul, intervint Damien sans lui laisser le temps de répondre.

Il était appuyé contre le mur avec une grande désinvolture. Pourtant, quelque chose dans sa posture et dans sa manière de se gratter le menton indiquait qu'il était extrêmement tendu.

— Je vais me charger de son entraînement.

— J'en doute, intervint Nica, visiblement contrariée.

— J'ai enseigné à Paul tout ce qu'il sait. Ce n'est encore qu'un disciple. Je suis le véritable maître.

Maître en quoi ? s'interrogea Emma sans oser poser la question.

— Tu l'*étais*, répliqua Nica en plissant les yeux.

— Je le suis toujours.

— Je refuse de mettre la vie d'Emma en danger.

— Ça fait plaisir à entendre, commenta Emma.

— Je suis le meilleur instructeur dont vous disposiez, insista Damien. Tu le sais, et Paul le sait aussi…

Ils se tournèrent vers Paul, qui acquiesça à contrecœur.

— Très bien, céda Nica. Tant que tu respecteras les règles du Cadre…

Damien esquissa un sourire.

— *Et* à condition que tu te méfies de l'effet qu'Emma et toi semblez avoir l'un sur l'autre.

Emma se sentit rougir. Ce que Damien lui inspirait était-il si flagrant ? Elle n'arrivait plus à le quitter des yeux alors qu'elle le connaissait à peine…

— Ce n'est que la malédiction, se défendit Damien.

Emma fronça les sourcils.

— Vraiment ? le défia Nica en relevant le menton. Pas entre ces murs… Ce qui se passe ici ne tient qu'à vous et ce que vous éprouvez sera démesurément amplifié par votre retour à la Pluie-de-Loups.

Emma sentit son estomac se nouer tandis que les paroles de son père lui revenaient à l'esprit.

Tu ne dois plus partir d'ici, Emma. Si tu retournes à la Pluie-de-Loups, il te trouvera. La malédiction trouvera un moyen de s'accomplir et tu mourras.

— Ne t'inquiète pas, Nica, répondit Damien avec assurance. Nous saurons la combattre.

Mais Emma savait que c'était faux. Damien n'allait pas mieux réussir qu'elle à combattre l'attirance qu'ils éprouvaient l'un pour l'autre. Quelque chose de plus puissant qu'eux les poussait l'un vers l'autre. Elle sentait cette force agir même dans ce manoir de Saint-Yve où ils étaient censés en être protégés.

— Comment peux-tu en être si sûr ? lui demanda Nica avec une moue sceptique.

— Parce que je comprends mieux que personne la gravité de cette malédiction. Je connais le prix de l'amour.

11

— Quand comptes-tu dire à Emma que tu es un vampire ? demanda Nica à Damien.

Ils s'étaient adossés au mur et regardaient Emma s'entraîner à donner des coups de pied.

— Je n'en ai pas l'intention, répondit Damien.

Mais il avait peut-être tort. C'était la manière la plus simple de neutraliser l'attirance qu'Emma éprouvait pour lui. Alors elle le verrait comme un monstre, ce qu'il était effectivement : un monstre assoiffé de sang humain. Il devait dompter ses appétits chaque jour et commençait à se lasser de ce combat.

— Crois-tu vraiment que ce soit une bonne idée ? insista Nica en haussant un sourcil parfaitement dessiné. J'ai l'impression que cette situation ne t'attire que des problèmes...

Il soutint son regard.

— Et depuis quand le Cadre s'intéresse-t-il à moi ?

— Tu l'as toujours intéressé.

Damien ferma les yeux pour étouffer la colère qui le gagnait.

— Tu es membre du Cadre depuis plus de deux siècles, Damien, reprit Nica en lui effleurant le bras, ce qu'elle n'avait jamais fait. Nous comprenons que tu nous en veux pour ce qui est arrivé à Cara, et c'est bien normal. Nous savons à quel point vous étiez proches l'un de l'autre. Mais crois-tu vraiment qu'elle aurait voulu que tu t'isoles ainsi ? Nous sommes ta famille, Damien… Nous voulons ton bien.

Ses paroles le surprirent, mais toujours moins que la sensibilité que trahissait sa voix. Cela lui ressemblait si peu… Pourtant, il la sentait sincère et attendrie. Il esquissa un sourire timide.

— Merci, Nica.

— Je… Nous apprécions que tu nous aides dans cette affaire. Plus que tu ne l'imagines…

Il acquiesça sans rien trouver à répondre.

— Si tu ne révèles pas ta nature à Emma et si les choses tournent mal…

Elle détourna les yeux un instant.

— Nous ne pouvons pas courir le risque qu'elle découvre tes canines dans le feu de la bataille, se reprit-elle. Je ne la crois pas capable de le supporter.

Il savait bien qu'elle avait raison. Au mieux, la terreur allait paralyser Emma.

— Alors tu reconnais qu'il va y avoir une bataille, commenta-t-il. Tout le monde n'en sortira pas sain et sauf… C'est une grande première pour le Cadre.

— Nous ne nous leurrons pas sur la puissance de votre ennemi ni sur les risques que vous courez.

— Tant mieux, répondit-il en songeant à la manière dont Charles Lausen, son père, était mort. Tu dois en avoir conscience mieux que personne…

Son visage se décomposa un instant, mais elle retrouva aussitôt son impassibilité de poupée.

— Il me manque, c'est vrai. Et j'aimerais détruire

Asmos autant que toi. Ne te méprends pas : il est aussi difficile pour moi que pour toi de faire confiance au Conseil dans cette affaire. Mais l'ordre pourchasse ce démon depuis plus de quatre siècles... Il est parfois nécessaire de faire taire ses émotions pour le bien de la cause à laquelle on s'est dévoué.

Damien acquiesça sans être pleinement d'accord avec elle. Cela lui était impossible. C'était lui qui intervenait sur le terrain. Les autres chasseurs et lui mettaient leur vie en danger pour capturer les paras que le Cadre interrogeait et étudiait. Les membres du Conseil n'étaient pas en première ligne. Pour lui qui se battait vraiment, la vie d'un *para* méritait parfois d'être sacrifiée si cela permettait de sauver un chasseur.

— Emma commence à se souvenir de la mort de sa mère, annonça Damien. Le Cadre aura bientôt les réponses qu'il cherche.

— Je l'espère. Mieux nous comprendrons ce qui s'est passé, plus nous pourrons vous préparer à l'affronter.

Il la quitta des yeux pour observer Emma. Nica avait raison. Il était navré de devoir la forcer à se souvenir, mais une bataille terrible les attendait et ils ne pouvaient pas s'y lancer à l'aveuglette.

— Je suis désolée pour Cara, ajouta Nica. Il reste encore une chance...

Une douleur familière lui étreignit le cœur. Il tourna vivement la tête vers elle en luttant contre l'espoir qui ne faisait que le torturer davantage.

— Nous avons appris qu'Asmos et le démon qui a possédé Cara venaient tous deux du septième royaume, poursuivit-elle impitoyablement. Si tu parviens à le capturer, nous en apprendrons davantage sur cette dimension... Ce que sait ce démon aidera peut-être Cara.

— La carotte que vous me tendez..., ricana-t-il en refusant résolument d'y croire.

— Nous savons si peu de choses sur cette dimension... Comment pourrions-nous donner un diagnostic définitif ?

— Et puisque nous savons si peu de choses, mieux vaudrait que je respecte les principes du Cadre et que je capture Asmos plutôt que d'éclabousser les murs du manoir de Pluie-de-Loups de son essence... Il y a beaucoup de questions que vous aimeriez lui poser, n'est-ce pas ?

— C'est vrai, lui accorda-t-elle en plissant les yeux. Et peut-être suis-je en train d'essayer de te manipuler, mais c'est sans importance. Avant tout, tu dois te demander en quoi tu crois, Damien. Epouses-tu toujours la philosophie du Cadre ?

— Je crois en moi, répondit-il en tournant les yeux vers Emma. Et en elle... Elle ne connaîtra pas le sort de Cara.

Il plongea son regard dans celui de Nica.

— Peu importe ce qu'il m'en coûte, conclut-il.

— J'espère, murmura Nica en secouant la tête avant de quitter la salle.

Damien regarda Emma s'entraîner en songeant à ce que Nica venait de lui dire. Avait-elle raison ? Existait-il une chance de sauver Cara ? Emma jeta un coup d'œil dans sa direction et lui décocha un sourire qui lui coupa le souffle. Elle ne méritait pas ce qui lui arrivait. Il n'était pas juste qu'elle ait assisté à la mort de sa mère, ni qu'elle s'apprête à affronter un puissant démon pour que le Cadre puisse l'interroger.

Peu importait ce qu'ils pouvaient apprendre de lui.

— Vous avez l'air en pleine forme ! lança-t-il à Emma en s'approchant.

— Merci, répondit-elle avec un grand sourire.

Damien se laissa fasciner par la sensualité de ses lèvres et la petite ride qui se forma au coin de sa bouche. Il n'aspirait qu'à l'attirer contre lui pour presser ses lèvres contre les siennes. Mais c'était la pire chose qu'il pouvait faire pour elle comme pour lui-même. Ils devaient rester concentrés sur leur tâche, qui était de se débarrasser d'Asmos — d'une manière ou d'une autre…

Alors seulement ils pourraient découvrir ce qu'ils avaient à partager. Damien ferma les yeux. Il savait très bien que ce n'était qu'un désir fou. Elle ne manquerait pas de se détourner de lui en découvrant la vérité. La tentation qu'il ressentait en elle n'allait pas y survivre. C'était pour cette raison qu'il aurait mieux fait de lui avouer sa nature avant que les choses n'aillent plus loin. Mais il ne pouvait pas supporter l'idée de lui inspirer de l'horreur.

Emma atterrit lourdement sur le tatami avant de rouler sur elle-même.

— Aïe !

— Vous vous êtes laissé déconcentrer, lui fit remarquer Damien en esquissant un sourire.

Elle lui jeta un regard furieux pour dissimuler son embarras.

— Je n'y arriverai jamais, grommela-t-elle en se massant la hanche.

— Bien sûr que si, vous allez y arriver.

— C'est ridicule ! Je n'ai pas la moindre connaissance en arts martiaux.

— C'est vrai. Mais je vous promets que vous saurez deviner ce que je m'apprête à faire et le parer d'ici ce soir.

— Si vous le dites, répondit-elle avec une grimace sceptique avant de se remettre en garde face à lui.

Il attaqua. Elle observa sa position, son regard, la tension de ses muscles, l'endroit où il plaçait le poids de son corps... et parvint à anticiper son coup de pied en pivotant sur elle-même.

— Oui ! s'écria-t-elle juste avant de se retrouver par terre.

— Vous devez toujours vous attendre à ce que votre adversaire revienne à la charge, commenta Damien en lui tendant la main pour l'aider à se relever.

Elle prit sa main et le laissa l'attirer vers lui en souriant, mais son sourire s'effaça dès qu'elle plongea son regard dans le sien. Elle était si près de lui que la chaleur de son corps pénétrait ses vêtements pour lui mettre les nerfs à vif. Son assurance et sa virilité lui donnaient une folle envie de l'embrasser.

Cette idée devint aussitôt obsédante.

— Vous vous en sortez très bien, Emma, lui assura-t-il en s'écartant.

Elle ferma les yeux en rougissant encore.

— Vraiment ?

— Vraiment.

Elle inspira profondément pour vaincre sa déception. Etait-elle la seule à éprouver de telles émotions ? Elle était certaine que quelque chose les liait l'un à l'autre. Comment pouvait-il ne pas le sentir ?

— Ecoutez... Ça fait plus de trois heures qu'on s'entraîne. J'ai besoin de faire une pause.

Il leva un sourcil.

— Ne me regardez pas comme ça, protesta-t-elle en essayant de ne pas trop le supplier. C'est juste que je ne suis pas habituée à tant... d'efforts.

— Très bien. Dans ce cas, nous allons passer aux techniques de méditation et aux propriétés magiques des cristaux.

Emma poussa un grognement.

— Nous pouvons aussi commencer par les rituels et les incantations...

— Vous pouvez m'entraîner autant que vous voulez, je ne vais pas y arriver. Comment pourrais-je retenir autant de choses en si peu de temps ? C'est tout simplement impossible !

Son stupide cœur manqua un battement lorsqu'il s'approcha d'elle.

— Ne vous sous-estimez pas, murmura-t-il. Avant tout, vous devez apprendre à voir les choses de manière positive. Vous en êtes capable. Je veux vous entendre le dire.

— Voilà qui va faire des miracles ! ironisa-t-elle en se laissant retomber sur le tatami.

— Dites-le.

Elle le fixa sans pouvoir s'empêcher de ricaner.

— Très bien. J'en suis capable. Je peux devenir le

meilleur chasseur de démons du monde et terrasser tout ce qui se dressera sur mon chemin.

Il esquissa un sourire.

— C'est mieux.

— Je sens déjà que ça marche, commenta-t-elle avec amertume.

— Nous allons devoir vous faire passer cette tendance au sarcasme...

— Pourquoi ? J'aime bien mon sarcasme.

Il s'assit en tailleur à côté d'elle.

— Il est important que nous ayons confiance l'un en l'autre, Emma. Nous allons travailler ensemble, et c'est ensemble que nous pourrons vaincre ce démon. Pour survivre à l'équinoxe, vous allez devoir y croire.

Elle acquiesça en fronçant les sourcils. Il avait raison. Elle devait se concentrer et apprendre le plus de choses possible. C'était leur survie qui importait avant tout. Elle se redressa en rassemblant son courage.

— Nous devons savoir exactement ce qui va se passer pour mettre une stratégie au point.

— Je ne suis pas une voyante...

— Non, mais vous étiez là la dernière fois que ça s'est produit.

Emma baissa les yeux. Pourquoi fallait-il qu'il insiste ?

— Votre père nous a dit que Lucia et lui vous avaient entendue crier. Ils se sont précipités dans le cellier et vous ont trouvée avec votre mère mourante dans les bras. Vous en souvenez-vous ?

Elle acquiesça en sentant une sueur froide la gagner.

— C'est très important, Emma. Que lui est-il arrivé ?

— Je ne sais pas, murmura-t-elle.

— Vous rappelez-vous l'avoir vue tuer M. Lausen ? Elle hocha la tête.

— Je crois qu'elle l'a poignardé. Il y avait du sang partout...

Les images de ses cauchemars la firent grimacer.

— Elle devait l'aimer, Emma, pour que la malédiction ait pu s'accomplir. C'est sûrement lorsqu'ils ont fait l'amour qu'Asmos a pu la posséder et la forcer à le tuer.

Emma s'agita nerveusement.

— Est-ce bien ce dont vous vous souvenez ?

— Elle m'a tirée par le bras, dit-elle d'une voix tremblante. Je ne sais pas ce qu'elle voulait. Elle disait que j'étais la dernière et m'entraînait vers les loups...

— Tout va bien, la rassura-t-il en posant sa main sur la sienne. Poursuivez.

— Je ne me souviens de rien d'autre, à part qu'elle est redevenue elle-même juste avant de mourir. Elle m'a fait jurer de ne jamais tomber amoureuse et de briser la malédiction.

— Asmos avait déjà dû se retirer dans les loups, commenta-t-il. Ce qui lui importait était d'accomplir la malédiction en la poussant à tomber amoureuse de M. Lausen et à le tuer.

Emma sentit la terreur l'envahir.

— Et si je mourais avant qu'Asmos ne puisse me posséder ?

— Alors tout serait fini. Vous êtes la dernière...
la seule qui possède son essence...

— Je n'en suis pas sûre.

Il écarquilla les yeux.

— Je crois que mon père la possède aussi,
expliqua-t-elle.

— Ça expliquerait la rapidité de sa convalescence...

— Vous ne savez vraiment pas ce qui va se passer,
n'est-ce pas ?

Il secoua la tête.

— Non. Nous ne savons pas ce qui a arrêté Asmos
il y a vingt ans, ni de quoi votre mère est morte.
Vous êtes la seule à y avoir assisté.

— Je suis désolée. Je ne me souviens de rien.

— Ce n'est pas grave. La mémoire vous reviendra.
D'ici là, nous devrons nous contenter des éléments
dont nous disposons.

— C'est-à-dire ?

— Nous savons que vous possédez son essence.
La nuit de l'équinoxe, nous allons tenter de l'attirer
hors des loups pour la capturer dans un cristal.

Le désir qu'elle lut dans son regard lui réchauffa
le cœur. Elle savait pourtant que cela aurait dû
la terrifier et l'inciter à fuir. Mais elle ne pouvait
s'empêcher de s'abandonner à la joie qu'il éveillait
en elle. Lui aussi ressentait le lien qu'il y avait entre
eux. Ce n'était pas le fruit de son imagination.

— Et vous pensez que ç'a une chance de marcher ?
lui demanda-t-elle.

— Je l'espère. Mais nous allons devoir le faire
ensemble, comme si nos esprits ne faisaient qu'un.
Vous en sentez-vous capable ?

— J'imagine… s'il le faut. Après les événements de ces deux derniers jours, j'ai l'impression que je pourrais faire face à n'importe quoi. Mais pourquoi ne m'apprenez-vous pas à manier de véritables armes ? N'aurions-nous pas de meilleures chances de survie avec des couteaux et des fusils ?

— Le Cadre a des principes pacifiques. Il capture les *paras* pour les étudier. Je n'ai pas le droit de vous apprendre à manier des armes.

— Mais comment espèrent-ils vaincre un démon sans lui faire de mal ?

— Grâce aux méthodes très efficaces qu'on nous a enseignées. Nous capturons les démons dans des cristaux pour les ramener au manoir, où ils sont longuement interrogés. Les variétés inoffensives, comme les démons de la malice, sont renvoyées dans le Royaume de l'Ombre.

— Et que faites-vous des autres ? Des variétés dangereuses ?

— Nous les remettons dans les cristaux.

— Pour toujours ?

Il soupira.

— Ce qui fait vraiment long…

— Pourquoi ai-je l'impression que vous n'approuvez pas ces procédés ?

— Je les approuve en partie. Le problème est que les démons ne cessent d'évoluer. Ceux qui viennent de dimensions dont nous ignorons tout n'agissent pas comme ceux que nous connaissons. Les méthodes du Cadre ont parfaitement fonctionné pendant des siècles. Nous avons appris beaucoup de choses dans l'intérêt de l'humanité et ne serions que des ignorants si nous nous étions contentés de tirer les premiers, comme les membres de la Division P.

— La Division P ?

— Ce sont des bouchers… C'est un département des services secrets britanniques dont la seule fonction est de traquer les démons et les entités paranormales pour les éradiquer.

— Ça ne paraît pas une si mauvaise idée…

— Sauf quand des innocents se retrouvent pris entre deux feux… Sans compter qu'on ne peut rien apprendre d'un démon mort.

— Mais les choses ont changé ?

Il se passa la main sur le visage.

— J'ai appris qu'il fallait mettre de l'eau dans son vin. Il est parfois nécessaire de sortir l'artillerie lourde parce que le prix à payer serait trop grand.

La dureté de son regard l'inquiéta.

— Croyez-vous que nous allons devoir sortir l'artillerie lourde ?

— Peut-être bien.

— Mais si vous violez les principes du Cadre…

— Alors nous ne pourrons plus revenir en arrière.

Elle acquiesça en se demandant quelles conséquences cela aurait pour son père. Il allait tellement mieux… Pouvait-elle mettre sa convalescence en danger en courant le risque que le Cadre le chasse ?

— Votre front est tout plissé, lui fit-il remarquer avant de le masser avec douceur, le sourire aux lèvres.

Elle sentit son cœur manquer un battement et chercha désespérément quelque chose à dire.

— Passons donc à la méditation, suggéra-t-il.

Elle acquiesça. Dès qu'il commença à lui expliquer

différentes techniques de relaxation, Emma se concentra sur le timbre de sa voix jusqu'à en oublier le sens de ses paroles.

— C'est très important, Emma, lui dit-il. Si vous sentez que votre esprit s'échappe, concentrez-vous sur ma voix. C'est elle qui vous permettra de rassembler vos forces. Vous devez avoir une entière confiance en moi, quoi qu'il arrive...

— J'ai confiance en vous, lui assura-t-elle.

Mais un doute l'assaillit alors même qu'elle prononçait ces mots. Ne commettait-elle pas une erreur en se fiant à lui ?

— Vous ne semblez pas en être très sûre, lui fit-il remarquer.

— J'ai peur.

— Vous faites bien.

12

Comment Emma pouvait-elle lui avouer ce qui la troublait ? Comment pouvait-elle lui expliquer que ce n'étaient pas des démons, ni même des vampires — aussi terrifiants puissent-ils être — qu'elle avait si peur, mais de lui ? Elle craignait qu'il n'ait déjà volé son cœur.

Elle était terrifiée à l'idée de retourner à la Pluie-de-Loups pour y retrouver sa vie normale. Elle ne voulait plus vivre comme un fantôme dans un manoir en ruine, sans espoir ni personne pour partager ses rêves.

— Je ne sais pas ce que vous ressentez ni ce que vous attendez de moi, déclara-t-elle. Qu'y a-t-il au juste entre nous ?

Voilà, c'était dit. Elle s'était ouverte à lui et lui avait confié ses craintes. Alors il fit ce qu'il pouvait faire de pire : il se leva sans dire un mot. Emma le regarda traverser la salle en s'efforçant de ravaler sa déception. Se moquait-il de ce qu'elle éprouvait ?

Il s'arrêta devant le meuble vitré et en tira un magnifique cristal mauve. La gorge serrée, elle le regarda revenir s'asseoir devant elle et lui mettre le cristal dans la main.

— C'est une améthyste, lui expliqua-t-il. Elle vous

donnera de l'inspiration et de la lucidité. Concentrez-vous sur son centre, sur sa couleur… Observez les rayons de lumière qui la traversent.

Elle fixa la pierre en tâchant de retenir ses larmes, de se concentrer sur sa voix et d'oublier la tristesse qui lui serrait le cœur… Mais c'était au-dessus de ses forces.

— Ayez confiance en moi, Emma.

Elle plongea son regard dans le sien.

— J'essaie…

— Je ne voudrais pas qu'il vous arrive quelque chose. Nous devons d'abord vaincre ce démon. Alors seulement nous pourrons nous soucier du reste… Vous comprenez ?

Il était si pragmatique, si rationnel… C'était bien un homme… Mais il avait raison. Emma acquiesça. Pourtant, malgré tous ses efforts, elle ne put s'empêcher de plisser légèrement les yeux pour l'épier à travers ses cils au lieu de se concentrer sur le cristal. Elle observa ses moindres gestes, le rythme de sa respiration et sa manière d'incliner la tête pour fixer l'améthyste.

Alors elle songea à l'intensité si troublante de son regard. Comment pouvait-il ignorer l'effet qu'il avait sur elle ? Elle avait tant envie qu'il la remarque et qu'il pense à elle de la même manière qu'elle pensait à lui…

Non. Il était beaucoup trop concentré sur sa méditation. Elle mourait d'envie de découvrir ses caresses et de se blottir dans ses bras. Si seulement elle avait eu le cran de presser ses lèvres contre…

— Emma ?

Prise en flagrant délit, elle esquissa un sourire coupable.

— Est-ce que ça va ? Si vous perdez votre concentration, vous mourrez.

— Je sais, murmura-t-elle.

Elle n'avait aucun mal à se concentrer, songea-t-elle en contemplant ses lèvres, ses mains et les muscles puissants de ses bras. Le problème était qu'elle ne semblait pas pouvoir se concentrer sur le cristal qu'il tenait.

— Essayons comme ça, suggéra-t-il en venant se placer dans son dos, tout près d'elle.

Elle sentait la chaleur de son corps, et son parfum lui faisait presque perdre la tête.

Il lui mit le cristal sous le nez.

— Prenez-le, lui chuchota-t-il d'une voix suave qui acheva de l'embraser.

Elle inspira profondément et prit le cristal.

— Comme ça ? murmura-t-elle.

Il plaça ses mains sous les siennes.

— Concentrez-vous sur les striures du cristal. Voyez comme elles s'entrecroisent et réfléchissent la lumière… C'est bien. Maintenant, concentrez-vous sur l'essence qui vous habite.

— L'essence ?

Mon Dieu…

Son souffle sur sa nuque la faisait frissonner et elle ne parvenait à songer à rien d'autre qu'à la pression de son torse dans son dos.

— Imaginez une fleur, un grand lotus blanc qui naîtrait à la base de votre colonne vertébrale.

Maintenant regardez le cristal et essayez d'imaginer que vous voyez ses pétales s'ouvrir un par un.

Les battements affolés de son cœur l'empêchaient presque de l'entendre. Pourquoi avait-elle tant de mal à respirer ? Elle poussa un faible gémissement et se tourna légèrement dans ses bras pour rencontrer son regard, dans lequel elle lut un désir aussi impérieux que le sien.

Il la voulait…

Il baissa les yeux vers ses lèvres lorsqu'elle les entrouvrit pour inspirer timidement, puis il la fixa de nouveau.

— Damien, murmura-t-elle en s'approchant encore.

Alors leurs lèvres se rencontrèrent. Elle ne sut pas lequel des deux avait abattu la dernière barrière, mais son baiser fut aussi étourdissant qu'elle l'avait rêvé, et même davantage. Il l'effleura d'abord des lèvres avec une douceur exquise avant de gagner en ardeur en la pressant contre lui.

Lorsque sa langue se glissa entre ses lèvres avec autorité, elle enroula ses bras autour de son cou et s'abandonna à lui en lui caressant la nuque.

Une vague de chaleur et d'euphorie l'envahit. Après quelques instants qu'elle crut volés à l'éternité, il s'écarta d'elle et la fixa sans dire un mot.

— Voilà au moins une technique qu'elle maîtrise…

Emma se raidit et se sentit rougir. Damien se leva aussitôt pour accueillir la femme aux longs cheveux roux et aux grands yeux verts qui entrait dans la salle.

— Lady Aube…, dit-il en inclinant la tête.

Emma n'apprécia pas du tout sa manière de le

toiser comme si elle parvenait à peine à dissimuler le dégoût qu'il lui inspirait.

— Vous devez être Emma McGovern, dit-elle en lui tendant une main aux doigts délicats. Je suis Aube Maybanks. C'est un plaisir de vous rencontrer.

— Oh…, balbutia Emma en se relevant.

— C'est l'une des filles jumelles du comte de Saint-Yve, expliqua Damien. L'une des princesses du château enchanté…

— Alors vous vivez ici ? lui demanda Emma en s'efforçant de dissimuler sa surprise.

Aube balaya la salle du regard en souriant.

— La plupart du temps, répondit-elle avant de ramasser le cristal sur le tatami. Vous essayez de lui enseigner les arts ?

Sa voix était parfaitement neutre, mais Emma était certaine d'avoir affaire à une féline extrêmement dangereuse.

— Nous faisons de notre mieux, répondit Damien.

— Il vous a fallu des années pour devenir un adepte… Pourquoi la croyez-vous capable de maîtriser cet art en si peu de temps ? insista-t-elle en indiquant Emma d'un geste dédaigneux.

Celle-ci se raidit et releva le menton.

— Elle possède une essence très puissante, expliqua Damien.

— Je n'en doute pas, mais ça ne va pas suffire…

Damien soupira.

— Nous nous efforçons de voir les choses de manière positive. Ça ne vous ferait pas de mal d'en faire autant.

180

Aube jeta des regards méfiants autour d'elle avant de lui tendre un petit paquet enveloppé dans une toile.

Damien le prit en plissant les sourcils.

— Qu'est-ce que c'est ?

— Mon père a ordonné le déploiement d'une équipe à la Pluie-de-Loups, chargée de capturer les vampires qui s'y trouvent. Je veux que vous arriviez le premier sur les lieux pour vous assurer qu'elle n'en trouvera aucun. Me suis-je bien fait comprendre ?

Le regard de Damien se durcit. Lorsqu'il déroula la toile, Emma tressaillit en découvrant les armes variées qui y étaient rangées. Il y avait des pieux de différentes tailles, deux dagues en argent et une sorte de pistolet.

— Un revolver à cartouches d'UV ? s'étonna Damien. La dernière fois que j'en ai vu un, un agent de la Division P le braquait sur moi. Comment le Cadre est-il parvenu à se le procurer ?

— Peu importe. Je cours de gros risques en vous fournissant ce matériel. Nous sommes-nous bien compris ?

— Je sais que vous n'approuvez pas le choix de votre père d'emmurer les vampires… mais ce que vous me demandez est grave. Si quelqu'un venait à le découvrir…

Il secoua la tête.

Aube esquissa un sourire qu'Emma trouva froid et calculateur.

Ne lui fais pas confiance, Damien…

— Ne vous inquiétez pas pour moi, Damien. Je sais ce que je fais. Vous pouvez même considérer cela comme une mise à l'épreuve... une manière de me prouver votre loyauté.

— Que voulez-vous dire ? demanda Damien, méfiant.

— Envers qui êtes-vous loyal, Damien ? Envers Cara ? Le Cadre ?

Elle tendit le bras vers Emma.

— Envers cette femme, peut-être, si je me fie à ce que je viens de voir... Et votre frère, dans tout ça ? Je crois que vous auriez tous les deux intérêt à y réfléchir...

Elle quitta la salle sur ces mots.

— Votre frère ? Mais de quoi parlait-elle ?

— Je ne la savais pas au courant... Je croyais que personne n'en savait rien..., murmura-t-il en tirant l'une des dagues de la poche où elle était glissée.

— Que voulez-vous dire ?

— Je veux dire qu'il y a des choses qui vous échappent.

— Et ?

— Et que nous allons devoir être très prudents.

Emma sentit l'inquiétude la gagner et baissa les yeux vers les armes qui ne firent rien pour l'apaiser.

— Du bois et du métal, c'est ça ? ricana-t-elle en fixant les pieux et les dagues.

Il soupira.

— Je peux vous assurer que c'est plus efficace contre les vampires que le crucifix que vous portez...

Damien ne put empêcher son regard de s'attarder sur la petite croix en or qui reposait entre les seins d'Emma. Les choses prenaient une bien mauvaise tournure pour eux tous… et avant tout pour Nicholaï.

— Pourquoi Aube ne veut-elle pas que l'équipe du Cadre capture les vampires ? lui demanda Emma.

— Parce qu'elle ne les aime pas.

— J'ai cru le comprendre. Mais n'est-ce pas le cas de tout le monde ?

Il contempla son beau visage. Damien savait parfaitement qu'il aurait dû lui avouer sa nature immédiatement. Elle avait le droit de savoir à quoi elle avait affaire… Mais le silence se prolongea et il n'en eut pas le courage.

Il aimait sa manière de le regarder. Elle savait voir en lui des choses qui échappaient à tous les autres, parce qu'ils étaient obnubilés par ses canines, sa soif de sang et la crainte qu'il finisse par perdre le contrôle de lui-même. Alors il se mettrait à tuer, comme ils s'y attendaient depuis longtemps.

Il ramassa le cristal.

— Nous nous servons de ces cristaux pour capturer les démons, et les entreposons ensuite dans le donjon du manoir. Il en contient des milliers…

Emma écarquilla les yeux.

— Des vampires, aussi ?

— Non. On ne peut pas capturer un vampire dans un cristal. Le Cadre les plonge dans une sorte de léthargie et emmure leurs cercueils dans les oubliettes.

— Ici ? Dans le château ?

La voix d'Emma était de plus en plus aiguë et l'horreur qu'il lut sur son visage le fit grimacer.

— Oui, murmura-t-il.

Emma frissonna.

— J'imagine qu'Aube ressent la même chose que vous, commenta-t-il avec un sourire amer.

— Je peux la comprendre. En revanche, je ne comprends pas pourquoi les autres veulent conserver des vampires ici...

— Ils en font des cobayes, lui expliqua-t-il. Les scientifiques du Cadre cherchent un remède contre la morsure de vampire depuis toujours.

Damien déglutit péniblement. Il savait parfaitement que c'était ce sort que le Cadre lui réservait s'il commettait le moindre faux pas.

— Leurs recherches sont-elles en bonne voie ? l'interrogea Emma.

— Non.

— Il semblerait qu'Aube désapprouve cette démarche...

— Effectivement, mais pour d'autres raisons que moi. Elle voudrait les voir tous morts.

— Et vous ?

— Pour ma part, j'estime que le pacifisme du Cadre n'est que de l'hypocrisie. Ce château est devenu une salle de tortures pour paranormaux.

Emma jeta des regards inquiets autour d'elle en se frottant les bras.

— Dites-moi, Damien... Je sais que vous n'avez pas fini de m'entraîner, mais je ne me sens pas très à l'aise dans cet endroit... Ça allait, jusqu'ici, mais... je commence à mourir de peur. Pouvons-nous retourner à la Pluie-de-Loups ?

— Ce ne serait pas prudent. C'est trop tôt.

— Mais...

184

— Asseyez-vous, lui ordonna-t-il en s'asseyant lui-même pour lui tendre les bras.

Elle s'installa en face de lui avec réticence et mit ses mains dans les siennes. Il ferma les yeux et lui expliqua longuement les principes de la méditation. Il lui enseigna comment s'apaiser et maîtriser ses émotions, mais il le fit davantage pour lui-même que pour elle.

Il avait besoin d'oublier son adorable visage, sa vulnérabilité et son besoin de se reposer sur lui. Si Asmos parvenait à prendre possession d'Emma, il allait détruire son esprit et Damien la perdrait comme il avait perdu Cara. Il devait tout faire pour empêcher que cela se produise. S'il ne lui enseignait pas tout ce qu'il savait, lui, elle n'aurait pas la force de lutter contre Asmos et la malédiction.

Il n'était pas certain de l'avoir lui-même...

La stratégie la plus prudente semblait être de repartir tout seul à la Pluie-de-Loups avec les armes qu'Aube lui avait fournies. Mais pourquoi trahissait-elle le Cadre et son père ? L'ordre qu'elle venait de lui donner allait à l'encontre de tous les principes du Cadre... S'agissait-il d'un piège ? Cherchait-elle à prouver qu'il n'était pas digne de confiance ? Voulait-elle démontrer qu'il était un meurtrier par nature, comme elle l'avait toujours dit ?

Mieux valait sans doute qu'il n'emploie pas ces armes. Mais comment pourrait-il protéger Emma ? Il ne pouvait pas triompher d'un clan de vampires à mains nues, surtout s'il était dirigé par son frère... Il pouvait toujours laisser l'équipe du Cadre les capturer. Les scientifiques du donjon adoreraient

disséquer un vampire nourri de sang de démons…
Même si l'idée était tentante, il ne pouvait pas s'y
résoudre. Son frère et lui avaient beau n'avoir rien
en commun, ils étaient tout de même frères.

— Bon sang ! grommela-t-il en faisant sursauter
Emma.

Il se leva brusquement pour se détourner d'elle.
De qui se moquait-il ? Il n'allait jamais pouvoir s'en
sortir tout seul. Il n'aurait peut-être même pas réussi
avec l'aide de Cara. Il revit son visage impassible,
aux yeux clos pour toujours, et sentit son estomac
se nouer.

— Damien ? s'inquiéta Emma en lui effleurant
l'épaule.

Il se retourna pour la fixer.

— Il est vital que vous vous rappeliez ce qui est
arrivé à votre mère, grogna-t-il entre ses dents. Nous
ne pouvons pas retourner à la Pluie-de-Loups tant
que nous ne savons pas ce qui nous attend ! Quelles
sont les faiblesses d'Asmos ?

Il la saisit par les épaules et se retint à grand-peine
de la secouer pour lui remettre les idées en place.

— Racontez-moi !

— Je ne peux pas…, gémit-elle en essayant de
lui échapper. Arrêtez !

Elle parvint à s'arracher à son étreinte d'un geste
brusque.

— Je suis désolé…, murmura-t-il en se passant
la main sur le visage. Je…

Elle le prit de court en s'approchant pour lui
enrouler ses bras autour du torse.

— Ça va aller, chuchota-t-elle.

Il resta pétrifié pendant quelques instants. Sa spontanéité et l'affection qu'elle lui témoignait le déstabilisaient complètement.

— J'espère, répondit-il quand il put enfin bouger et l'attirer contre lui.

— Nous avons ces armes, ajouta-t-elle. Nous y arriverons.

Il ferma les yeux. Il était certain qu'Aube ne lui avait fourni ces armes que pour prouver au Cadre qu'il n'était pas digne de sa confiance, comme elle l'avait toujours clamé. Elle voulait convaincre le Conseil que ce n'était qu'une question de temps avant qu'il ne se mette à tuer, parce que sa nature l'exigeait.

Mais que se passerait-il s'il refusait de les prendre et si Nicholaï attaquait de nouveau ? Il connaissait assez son frère pour savoir que rien ne l'arrêterait tant qu'il n'aurait pas obtenu ce qu'il voulait : l'essence d'Asmos qui se mêlait au sang d'Emma.

Il pouvait se fournir d'autres armes n'importe où et en possédait lui-même une belle collection. Mais il avait besoin de quelque chose de spécial pour triompher de Nicholaï… Il avait besoin du revolver à cartouches d'UV de la Division P.

— Et mon père ? s'inquiéta Emma.

— Il sera très bien ici.

— Dois-je lui dire que nous retournons à la Pluie-de-Loups ?

— Si vous m'accompagnez…

Il ne parvint pas à finir sa phrase.

Elle hocha la tête, ce qui lui épargna d'avoir à énoncer la vérité : ils avaient aussi peu de chances l'un que l'autre de survivre à l'équinoxe.

— Il ne veut pas que je quitte Saint-Yve, murmura-t-elle.

— Ce n'est pas nécessaire. Vous pouvez très bien rester ici, vous entraîner pendant un an ou deux et y retourner quand vous serez prête... Asmos vous attendra.

— Et remettre ma vie à plus tard ?

Il acquiesça, la gorge serrée.

— J'ai l'impression de n'avoir jamais fait que repousser le moment où je vivrais ma vie, poursuivit-elle. J'ai passé mon temps à attendre... de rencontrer quelqu'un comme vous. Je ne peux pas choisir l'heure de ma mort, mais je peux choisir d'aimer ou non.

Son regard avait une intensité bouleversante.

Il s'écarta vivement d'elle. Les choses tournaient très mal... Ce qu'il ressentait constituait une terrible menace et il ne pouvait pas la laisser s'attacher à lui. Ce serait bien trop cruel pour l'un comme pour l'autre...

— Je ne suis pas ce que vous croyez, répondit-il d'une voix brisée. Je ne suis pas l'homme qu'il vous faut.

— Vous vous trompez, insista-t-elle. Vous savez ce que je ressens, vous me comprenez...

Elle détourna les yeux.

— Vous ne voyez pas un monstre quand vous me regardez, ajouta-t-elle d'une voix à peine audible.

Sa douleur le bouleversa. Il ne put s'empêcher de tendre la main pour attirer son visage vers lui et la forcer à soutenir son regard.

— Vous n'êtes pas un monstre, Emma. Vous êtes magnifique.

Ses yeux s'embuèrent.

— Je n'ai jamais ressenti une chose pareille, lui confia-t-elle. Est-ce réel ou seulement le fruit de la malédiction ?

— Je ne sais pas, répondit-il en s'écartant pour échapper à sa vulnérabilité et à l'espoir qu'il voyait briller dans son regard. Ça n'a aucune importance. Ce qui compte, c'est de capturer Asmos. Nous ne saurons pas ce qui est réel avant cela.

Les lèvres d'Emma se mirent à trembler.

— Alors rien n'est vrai.

Il devait mettre un terme à cette torture…

— Mieux vaut que vous ne tombiez pas amoureuse de moi, ni maintenant ni jamais, lui assura-t-il en lui effleurant la joue. Malheureusement, je ne peux pas capturer Asmos tout seul. Le démon auquel nous avons affaire est d'une grande puissance, mais si vous décidez de m'accompagner, retrouvez-moi devant la porte dans vingt minutes.

Il quitta la salle à grands pas sans lui laisser le temps de réagir.

13

Amy courut vers la grange en riant aux éclats et en tirant son ami par la main sous une pluie battante. Son cœur battait à tout rompre. Cette nuit, il allait se glisser dans le manoir de Pluie-de-Loups et en repartir les poches pleines. Ils avaient entendu des rumeurs qui parlaient d'une fille défigurée ne sortant jamais de chez elle et aux bijoux dignes d'une reine, transmis de génération en génération et qui prenaient la poussière. Amy voulait quelques-uns de ces bijoux, et John était le premier garçon qu'elle rencontrait à avoir le courage de vouloir les lui offrir.

John posa leur lanterne par terre.

— D'où vient donc cet orage ? s'écria-t-il en écartant ses mèches trempées de son visage.

— Qu'est-ce que ça change ? le taquina-t-elle. On a peur de se mouiller ?

Elle lui décocha un sourire et s'approcha pour glisser ses mains sous sa chemise. Elle adorait la montée d'adrénaline qu'elle éprouvait lorsqu'elle faisait quelque chose d'un peu répréhensible...

— J'adore la pluie ! répondit-il joyeusement en attrapant un de ses seins.

Elle le laissa la caresser juste assez longtemps pour conserver son intérêt et sa docilité.

— Dans combien de temps pourrons-nous entrer dans le manoir ? lui demanda-t-elle en prenant une pose coquette qu'elle avait repérée sur des photos de magazines.

Il jeta un coup d'œil vers les fenêtres éclairées de la bâtisse.

— On ferait bien d'attendre encore une bonne demi-heure après que les lumières se seront éteintes.

— Si longtemps ? se lamenta-t-elle en faisant une moue. Qu'allons-nous faire d'ici là ?

— Devine ! répondit-il en lui pinçant les fesses. On va faire l'amour.

Elle déboutonna son jean en soupirant. Elle était trempée, impatiente, et cette vieille grange était remplie de toiles d'araignées. Ces bijoux avaient intérêt à en valoir la peine…, songea-t-elle en retirant son jean.

Nicholaï observait la scène, tapi dans un coin de la grange. Il sentit son membre se raidir lorsque le garçon fessa la fille qui venait de s'appuyer contre une botte de foin.

— Oh, oui… Sois méchant…, roucoula-t-elle tandis que ses fesses rougissaient sous la main du garçon.

Nicholaï ne put s'empêcher de sourire en voyant le garçon laisser tomber son pantalon sur ses chevilles pour la pénétrer brutalement et attirer ce postérieur magnifique contre lui. Elle gémit et l'encouragea tandis qu'il bougeait de plus en plus vite.

La fille cria plus fort.

— C'est ça, chérie, grogna le garçon en la fessant encore. Continue...

Nicholaï s'approcha d'eux sans un bruit, même s'ils criaient eux-mêmes trop fort pour entendre quoi que ce soit. Les gémissements de la fille et le parfum de leurs ébats lui faisaient beaucoup d'effet. Verraient-ils un inconvénient à ce qu'il se joigne à eux ? A vrai dire, il se moquait éperdument de ce qu'ils pensaient.

Il sourit encore en entendant la main du garçon s'abattre sur les fesses de la fille. Remarquerait-elle seulement la différence s'il prenait la place du garçon pour lui donner la correction qu'elle méritait ? Nicholaï se plaça derrière eux, contempla un instant le dos luisant de transpiration du garçon, puis déboutonna son pantalon.

Il avança d'un pas et prit les fesses du garçon dans ses mains. Celui-ci se figea, mais Nicholaï planta ses canines dans sa gorge sans lui laisser le temps d'émettre un son. Il transperça sa jugulaire pour boire une longue et délicieuse gorgée.

Nicholaï tendit la main pour fesser la fille et poussa le garçon en elle une dernière fois sans cesser de boire.

— Ne t'arrête pas maintenant, salaud ! hoqueta-t-elle. J'y suis presque !

Lorsqu'il eut vidé le garçon de son sang, Nicholaï rejeta son corps inerte pour pénétrer la fille qui n'attendait que cela.

Elle gémit bruyamment.

Nicholaï prit son temps et la souleva sans le moindre effort pour la pénétrer plus profondément.

La fille hurla de plaisir et resta longtemps parcourue de spasmes avant de s'effondrer sous lui. Ce ne fut que lorsqu'il en eut fini avec elle et l'eut rassasiée de toutes les manières possibles qu'elle remarqua le cadavre de son ami à ses pieds.

Alors elle se tourna vers Nicholaï et recommença à hurler.

Il était très tard lorsque Emma et Damien arrivèrent enfin à la Pluie-de-Loups. Après avoir fait ses adieux à son père, Emma avait pleuré sans bruit, puis elle s'était endormie dans la voiture en laissant Damien à ses tergiversations. Il ne pouvait pas laisser les choses continuer ainsi. S'il échouait à reprendre le contrôle de ses émotions, tous deux couraient au désastre.

Elle ne s'était déjà que trop attachée à lui. Elle avait tant besoin de lui que sa vulnérabilité lui faisait perdre toute objectivité. Certes, il n'aurait pas demandé mieux, mais il n'était pas l'homme dont elle rêvait. Il n'était même pas un homme, contrairement à ce qu'elle croyait...

Il se gara devant le manoir plongé dans l'obscurité et sortit prudemment de la voiture. Il étendit sa perception à la recherche des loups et des vampires de son frère, mais ne repéra ni les uns ni les autres. Tout était calme.

Damien fit le tour de la voiture, ouvrit la portière du passager, inspira profondément et souleva Emma pour la porter à l'intérieur. Lucia, Angel dans ses bras, ouvrit la porte sans lui laisser le temps de frapper.

— Comment va-t-elle ? s'inquiéta Lucia.

— Elle va bien. Elle est épuisée, c'est tout.

Il aurait pu la déposer sur le canapé du salon ou la réveiller pour qu'elle aille se coucher toute seule. Il l'emporta dans l'escalier, tout en sachant parfaitement qu'il avait tort d'agir ainsi. Mais il aimait sentir ses courbes dans ses bras et se laisser envelopper par son parfum de lavande… Il ne fallait pas qu'elle ait besoin de lui. Malheureusement, il avait tout autant besoin d'elle.

Comment avait-il pu en arriver là ? Comment avait-elle triomphé de ses défenses ? Elle avait vu ce qu'il y avait de bon en lui : son courage, son humanité… autant de qualités que personne ne remarquait, faute de les chercher en lui. Surtout, il avait été trop égoïste pour lui avouer la vérité. Il avait renoncé à lui révéler sa nature pour ne pas voir le dégoût dans ses yeux.

Il atteignit l'étage en sachant qu'il n'avait que quelques précieuses minutes à passer avec Emma avant de devoir repartir dans la forêt. Il allait tenter de faire la paix avec son frère. Il allait l'avertir que le Cadre avait lancé une équipe à ses trousses et tâcher de le convaincre de partir tant qu'il en était encore temps.

Damien n'avait plus aucune illusion sur ses chances de renouer avec Nicholaï, mais devenir un cobaye du Cadre était un destin pire que la mort. Malgré toutes les erreurs qu'il avait pu commettre, Nicholaï ne méritait pas de connaître ce sort.

Il ne lui restait plus qu'à espérer que son frère allait accepter de l'écouter.

Et vite. Avant le retour des loups. Avant qu'il ne doive réveiller Emma pour accomplir le rituel qui devait leur permettre de capturer Asmos.

Il déposa Emma sur son lit, écarta délicatement les mèches de cheveux qui lui étaient tombées sur le visage et ramena sa couverture sous son menton. Alors il la regarda dormir pendant un long moment en regrettant de ne pas pouvoir s'allonger auprès d'elle. Si seulement ils ne s'étaient pas trouvés dans cette situation... Il se détourna d'elle en soupirant.

Sa main lui agrippa le poignet. Il se retourna subitement et rencontra son regard embué.

— Restez, supplia-t-elle d'une voix pâteuse.

— Je ne peux pas, murmura-t-il.

— S'il vous plaît... Je ne veux pas dormir seule. Je ne veux pas refaire ce cauchemar...

— Mais ces rêves sont utiles. Ils vous aident à vous souvenir... et j'ai besoin que vous me racontiez ce qui est arrivé à votre mère.

— Non, je ne veux pas me souvenir, répondit-elle d'une voix encore ensommeillée en attirant sa main vers elle.

— C'est peut-être ce qui nous permettra de survivre, Emma...

Il ne put s'empêcher de s'asseoir au bord du lit en la voyant grimacer de chagrin. Il n'allait rester qu'une minute, se jura-t-il. Que pouvait-il arriver en une minute ? Mais il lui suffisait de respirer son parfum de lavande et de contempler ses grands yeux que faisait briller un rayon de lune pour désirer que cet instant ne s'arrête jamais.

Il s'imagina en train de lui faire l'amour. Sa solitude et sa tristesse étaient si semblables aux siennes… Elle avait passé sa vie à attendre l'amour en se répétant qu'elle ne le connaîtrait jamais. Ce qu'ils éprouvaient l'un pour l'autre était-il réel ou n'était-ce que le fruit de la malédiction ?

Cette question lui échappa lorsqu'elle se mit à sourire. Alors plus rien n'eut d'importance. Il se pencha pour effleurer ses lèvres et s'émerveiller de leur douceur. Celles-ci s'entrouvrirent sous ses caresses et lui permirent de retrouver l'impression qu'il avait eue dès le premier baiser : elle était faite pour lui, elle était celle qu'il avait attendue toute sa vie.

Son faible gémissement attisa le brasier qu'il ne maîtrisait qu'à peine. Il ferma les yeux pour s'abandonner à la chaleur de ses lèvres et retrouver la joie qu'il éprouvait en regardant le soleil se refléter sur une rivière, ou en s'étendant dans un champ de blé par une belle journée d'été après avoir mangé des fraises.

Comment parvenait-elle à faire resurgir en lui ces sensations oubliées ? Elle approfondit leur baiser. Tout en se délectant de sa douceur et des petits bruits par lesquels elle exprimait son plaisir, il comprit qu'il ne voulait pas la quitter — ni maintenant ni jamais.

Elle posa timidement sa main sur son torse, se mit à jouer avec les boutons de sa chemise, puis lui fit perdre ses dernières réticences en lui griffant doucement la peau. Il tressaillit, fou de désir, et pressa sa main sur son cœur.

— Ne me quitte pas, Damien, murmura-t-elle.

Non, il n'allait pas la quitter. Il n'imaginait pas reprendre l'existence qu'il menait avant de la rencontrer et dans laquelle il se sentait si seul... Il n'avait pas la volonté nécessaire pour renoncer à ce qu'il désirait depuis toujours en étant convaincu de ne pas le mériter.

Il avait enfin trouvé quelqu'un qui l'aimait.

Damien plongea sa tête dans son cou pour laisser courir sa langue sur sa gorge et sentir son sang circuler sous sa peau. Il mourait d'envie de le goûter, même une seule gorgée, mais il savait qu'il ne le ferait jamais. Il n'était pas question qu'il laisse ses instincts monstrueux souiller une femme aussi confiante, aussi belle et vulnérable... Alors il remonta le long de sa gorge pour lécher doucement le lobe de son oreille.

Elle se cambra pour l'attirer plus près de lui et emmêla ses doigts dans ses cheveux. Son désir était presque douloureux. Il devait absolument la fuir avant de ne plus avoir aucun contrôle sur la situation... Emma se redressa presque en même temps que lui.

Il plongea son regard dans le sien en essayant de trouver comment lui expliquer ce qu'il ressentait et la raison pour laquelle il la repoussait, mais elle ne lui en laissa pas le temps. Elle esquissa un sourire malicieux et l'hypnotisa d'un regard chargé de désir en levant le menton.

Alors qu'il aurait dû s'enfuir en courant, il la regarda, fasciné, détacher son soutien-gorge. Dès qu'il tomba, il lui devint impossible de détourner les yeux de sa peau de porcelaine que caressait la lune.

Le regard brillant de désir, Emma prit l'une de ses mains dans les siennes pour l'attirer vers sa poitrine. Une bouffée de chaleur l'envahit dès qu'il effleura sa peau et éprouva la rondeur parfaite de ses seins.

— Je ne crois pas…, protesta-t-il d'une voix rauque sans parvenir à finir sa phrase.

Emma s'était penchée pour presser ses lèvres contre les siennes avec autant d'ardeur qu'il lui en inspirait. Il passa son pouce sur la pointe dure et chaude de son sein.

Il ne pouvait pas lui faire l'amour, se répétait-il. Il ne devait pas… Mais une part de lui ne se souciait que de l'inconfort que lui faisait éprouver son pantalon, et cette part l'empêchait de former la moindre pensée cohérente. Il n'aspirait qu'à sentir sa peau contre la sienne et à visiter les replis les plus secrets de son corps.

Il la repoussa sur le dos et s'allongea sur elle en logeant son érection entre ses cuisses. Il pouvait sentir tout son corps à la fois et se délecter de la manière dont elle se cambrait pour se coller à lui. Il fallait qu'il la prenne…

Oui. Prends-la, Damien… Elle ne demande que ça.

Tandis que la voix résonnait dans son esprit, une vague de désir déferla sur lui en lui coupant le souffle.

Asmos.

Damien comprit aussitôt que cette voix était celle du démon. Il pouvait le sentir et sa part rationnelle n'ignorait pas qu'il était en train de se laisser gagner par la malédiction. Il aurait dû s'arracher à elle à cet instant et fuir avant qu'il ne soit trop tard. Mais il en était incapable. Il n'en avait pas la force. Il n'avait pas la volonté de résister à son parfum, à ses caresses... à son amour.

Il interrompit leur baiser pour inspirer péniblement.

— Je t'aime, Emma. Ce que j'éprouve pour toi est incontrôlable et je ne sais plus comment y faire face...

Voilà. C'était dit. Il lui avait livré son cœur pour qu'elle en fasse ce qu'elle voulait.

Elle lui sourit avec une douceur infinie, des larmes plein les yeux. Elle ouvrit la bouche pour lui répondre quelque chose, mais, dans un effort surhumain, il réussit à s'arracher à elle pour courir vers la porte sans lui en laisser le temps.

Dieu lui vienne en aide... Il l'aimait beaucoup trop pour être capable de la sauver.

14

La gravité de sa faute apparut progressivement à Damien et sa conscience se mit à le tourmenter cruellement. Comment avait-il pu être aussi stupide ? Il n'avait rien d'un débutant. Ce qu'il venait de faire à Emma n'avait aucune excuse. Il était passé tout près de succomber à ses instincts bestiaux en faisant courir un risque immense à Emma.

Il savait parfaitement qu'il ne lui restait plus qu'une chose à accomplir. Il devait détruire tout ce qu'elle ressentait pour lui en avouant la vérité. Il avait été stupide de croire qu'elle le mépriserait peut-être moins si elle apprenait à le connaître… La triste vérité était qu'elle le mépriserait davantage parce qu'il avait attendu. Il devait arrêter de se mentir à lui-même en essayant de se convaincre que sa nature de vampire importait peu. Rien d'autre ne comptait, au contraire, puisqu'elle faisait de lui ce qu'il était.

N'ignorant pas que le pire était à venir, Damien quitta le manoir à grands pas, traversa le jardin où trônait une fontaine en ruine et longea les haies irrégulières de ce qui avait dû être un magnifique labyrinthe.

Il repéra l'odeur caractéristique des loups et les

entendit le suivre à travers la campagne. Pourquoi ne s'approchaient-ils pas ?

Il sentit une odeur de feu de bois, puis ralentit pour s'approcher plus prudemment dès qu'il entendit les murmures des vampires. Il avait senti leur présence dès qu'il s'était engagé dans les bois et avait une idée approximative de l'endroit où ils avaient installé leur camp. Il s'approcha de la clairière sans faire un bruit. Le clan s'était étoffé. Il y avait au moins dix vampires de plus que la fois précédente, et Damien ne put s'empêcher de se demander pourquoi son frère avait recruté tant de monde.

Il se cacha derrière un gros arbre pour les épier. Quelles étaient leurs intentions ? Pourquoi étaient-ils encore là, alors qu'ils l'avaient vu s'enfuir avec Emma ? Les vampires, peu sociables par nature, ne formaient en général que de petits clans. Il n'en avait jamais vu autant au même endroit… Plusieurs clans s'étaient-ils rassemblés là ? Mais pour quel but ? Voulaient-ils tous leur part d'Asmos et d'Emma ?

Damien ne put s'empêcher de frémir et se demanda si le Cadre ou la division P avaient conscience du nombre de vampires qui s'adonnaient aux « plaisirs obscurs ». L'essence de démon, telle une drogue, les mettait en état de complète dépendance.

Alors que Damien s'apprêtait à changer de cachette pour mieux voir l'autre côté de la clairière, trois jeunes vampires qui se trouvaient sur sa droite se déplacèrent en lui dévoilant un spectacle qui lui coupa le souffle. Il grommela un juron étouffé et sentit la rage le gagner.

Une fille complètement nue était attachée entre

deux arbres, bras et jambes écartés. Sa tête retombait sur sa poitrine et ses épais cheveux bruns lui recouvraient le visage. Sa peau d'un blanc laiteux était couverte d'égratignures et de marques de morsures.

La fille gémissait et se débattait faiblement de temps à autre, mais elle s'était déjà arraché la peau des chevilles et des poignets en tirant sur ses liens. L'odeur métallique du sang flottait dans l'air et Damien sentit avec horreur sa soif se réveiller.

Un vampire qui passait devant elle s'arrêta, lui souleva la tête en la tirant par les cheveux et l'embrassa fougueusement. Lorsqu'il en eut assez, il lui pinça les fesses avant de s'éloigner en riant. La fille, dont les yeux étaient rougis par les larmes, le fixa un long moment, paralysée par la terreur.

Damien serra les poings pour dompter sa colère. Les vampires, tout comme les chats, aimaient jouer avec leurs victimes et retarder le moment de les tuer tant qu'ils ne s'étaient pas lassés d'elles. Damien en avait souvent entendu parler, mais c'était la première fois qu'il le constatait de ses propres yeux. Malheureusement, il ne pouvait rien faire pour la fille dans l'immédiat.

Peut-être Nica… et même Aube avaient-elles raison. Si Nicholaï chassait les démons pour accroître ses pouvoirs en se nourrissant de leur essence et prenait tant de plaisir à torturer les humains, il était nécessaire de mettre un terme à ses agissements. Mais allait-il en être capable ? Allait-il avoir la force d'appuyer sur la gâchette pour exécuter son propre frère ?

Comprenant subitement qu'il avait une décision à

prendre, Damien recula à une distance prudente de la clairière. S'il voulait affronter son frère, il devait d'abord choisir une fois pour toute une manière de procéder. Il ne pouvait plus se voiler la face. Nicholaï était un vampire de la pire espèce : il ne se contentait pas de se nourrir. Il prenait plaisir à tuer.

Damien contourna le camp sans cesser de caresser la crosse du revolver qu'il avait glissé dans sa poche. Il tâcha de rassembler tout son courage pour faire ce que la situation exigeait. Il devait tuer son frère, l'unique famille qu'il lui restait, son seul lien avec son passé et son humanité...

Malheureusement, Nicholaï était plus puissant que lui. Pour triompher de lui, Damien devrait l'attaquer par surprise sans lui laisser la moindre chance. Il se glissa furtivement d'un tronc d'arbre à l'autre en observant la foule des vampires pour repérer les plus puissants et tâcher de comprendre qui servait qui.

Lorsqu'il atteignit l'autre côté de la clairière, un vampire solitaire au visage couvert de taches de rousseur se détacha du tronc d'un arbre.

— Je t'attendais.

Damien se figea. Comment ce rouquin avait-il pu déceler sa présence sans qu'il perçoive la sienne ? Et si celui-là en était capable, combien d'autres l'avaient repéré ?

— J'espère que je ne suis pas en retard, répliqua Damien en se balançant d'avant en arrière pour masquer son inquiétude.

— Pas tu tout. Nous savons tout ce que tu fais, Damien... Nous l'avons toujours su.

— Je suis surpris que ma vie vous intéresse autant, ironisa Damien.

Il étendit sa perception pour savoir si le vampire lui mentait et échoua à pénétrer son esprit.

— Tu n'es pas aussi discret que tu le crois, se moqua le rouquin.

Damien prit la mesure de ses muscles et observa attentivement son aura. Ce vampire ne devait pas avoir plus de cent cinquante ans et ne pouvait pas être plus fort que lui à cet âge. Sauf que... Il s'était nourri de sang, et même de sang de démon. Les expériences qu'avaient menées les scientifiques du Cadre confirmaient que la pratique des « plaisirs obscurs » accroissait considérablement les pouvoirs des vampires.

Le vampire fit un pas vers lui. Damien se mit aussitôt en garde. Il envisagea un instant de dégainer le revolver mais ce modèle, l'un des premiers que la Division P avait conçus, ne contenait qu'une seule cartouche. Préférant la réserver à Nicholaï, il se saisit de l'un des pieux.

— C'est une bien jolie poupée que tu détiens dans ce manoir, le provoqua le vampire. Presque aussi jolie que celle que tu promenais avant elle...

Le cœur de Damien s'affola.

— De quoi parles-tu ? grogna-t-il.

— Nous avons de grands projets pour ta jolie blonde. Nous allons prendre notre temps avec elle. Si tu es bien sage, nous te laisserons regarder...

Le vampire étira ses canines dans un sourire cruel.

Damien crispa ses doigts autour du pieu en frêne à la pointe aiguisée et trempée dans l'argent. Il inspira profondément et détacha ses yeux du regard de dément du vampire pour se concentrer sur sa cible. Puis il s'élança sans crier gare.

Il lui planta son pieu en plein cœur avec toute la force de sa colère et exulta lorsque le rouquin explosa en un nuage de cendres.

Alors il recula en s'essuyant les mains sur son pantalon et rangea le pieu dans sa poche avec l'impression que sa victoire avait été trop facile.

Lorsqu'il se retourna, son frère et dix de ses acolytes lui faisaient face. Nicholaï se mit à applaudir bruyamment.

— Félicitations, frérot. On dirait qu'il y a un tueur en toi, finalement...

— Je n'ai rien à voir avec toi, grinça Damien.

Nicholaï éclata de rire.

— Au contraire ! Nous sommes parfaitement semblables. Tu refuses simplement de le voir..., répliqua-t-il en avançant d'un pas. Joins-toi à nous. Accepte ton héritage. Arrête de te mentir à toi-même et embrasse ta véritable nature...

Damien plissa les yeux. Les chasseurs de démons avaient-ils inventé cette rhétorique pour se donner bonne conscience ?

— Tu aurais tort de te montrer condescendant envers moi, l'avertit son frère. Tu es un meurtrier, comme nous tous !

Nicholaï embrassa son clan d'un geste ample.

— Tu as tué Kimmie aussi facilement que tu viens de tuer cet homme, Vic, poursuivit-il. C'est dans ton sang, dans ta nature...

Son sourire s'effaça.

— C'est pour ça que je pourrais *presque* te pardonner.

— Kimmie ? demanda Damien en comprenant subitement que tout cela allait très mal finir.

— La rousse que tu as attaquée près de ta voiture.

— Tu as mal compris, Nicholaï, comme bien d'autres choses d'ailleurs… C'est elle qui m'a attaqué.

— C'était ma femme.

Damien sentit son sang se glacer dans ses veines.

Nicholaï s'approcha de lui pour l'attraper par l'épaule.

— Ma femme ! répéta-t-il en le secouant.

Damien ne trouva rien à répondre. Nicholaï enroula son bras autour de sa gorge en l'étouffant presque et l'entraîna vers ses vampires.

— Mon frère est de retour ! annonça-t-il.

Damien ne put que le suivre docilement en se rendant compte qu'il ne connaissait rien de lui, il ne savait pas même pas quel genre d'homme il était devenu. Il étendit sa perception sans grand espoir pour tâcher de lire dans ses pensées et se heurta encore à un mur.

Son frère baissa les yeux vers lui, puis secoua la tête en ricanant. Damien n'avait pourtant aucun problème de perception. La malveillance des autres vampires l'étourdissait presque.

Ils pénétrèrent tous ensemble dans la clairière. Le feu, qui venait d'être nourri, s'élevait à plusieurs mètres du sol en rugissant. Sa chaleur lui brouillait la vue et lui brûlait le visage. Tous les autres membres du clan s'étaient postés à l'orée de la clairière. Ils étaient en garde et fixaient Nicholaï en attendant ses ordres.

Damien serra la crosse du revolver. Il lui restait une chance d'abattre son frère, mais il n'allait pas pouvoir vaincre tout son clan. Or, il devait survivre... S'il mourait, Emma n'aurait plus personne pour la protéger.

Il ne pouvait gagner cette bataille qu'en ayant l'avantage de la surprise, et il l'avait perdu.

Emma refusa de s'apitoyer sur son sort. Le départ de Damien ne signifiait pas qu'elle lui était indifférente. Il s'était seulement montré plus intelligent qu'elle et l'avait protégée de la malédiction. Malheureusement, cela ne rendait pas son départ moins blessant. Incapable de s'endormir, elle se leva, enfila une robe de chambre et alla se poster à la fenêtre pour observer la campagne endormie.

C'est alors qu'elle aperçut un grand feu au loin. Sa peur se réveilla tandis qu'elle essayait de comprendre qui avait pu allumer un feu au beau milieu de la forêt. Elle se précipita hors de la chambre pour aller frapper à celle de Damien et attendit un long moment, l'oreille collée contre la porte, sans percevoir le moindre bruit.

— Damien ? appela-t-elle doucement en ouvrant la porte.

Il n'y avait personne dans la chambre et les draps n'étaient même pas froissés.

Damien !

Elle eut aussitôt le pressentiment qu'il était là-dehors,

près du feu. Elle dévala l'escalier et s'engouffra dans le couloir qui menait à la chambre de Lucia.

Dépêche-toi, Emma... Damien est blessé. Il a besoin de toi.

Cette idée l'obséda tandis qu'elle tambourinait à la porte de Lucia en criant son nom. Le silence lui fit craindre qu'on l'ait laissée toute seule dans le manoir. Terrorisée, elle ouvrit la porte à l'instant où Lucia lui répondait d'une voix ensommeillée.

— Quoi ? Qu'est-ce que c'est ?

Soulagée, Emma s'effondra contre la porte.

— Réveille-toi, Lucia. Damien a des ennuis, je le sens...

— Des ennuis ?

— Oui. Il est sorti... Dépêche-toi ! insista-t-elle en se précipitant vers le lit pour allumer la lampe de chevet.

— Ne sois pas idiote, grommela Lucia en se redressant. Pourquoi Damien aurait-il des ennuis ?

Elle tâta sa couverture à la recherche de sa robe de chambre.

— Je le sais, c'est tout. Il y a un grand feu dans la forêt. Je l'ai vu par ma fenêtre. Je ne sais pas pourquoi, mais je suis certaine que Damien se trouve là-bas et qu'il a besoin de nous.

Lucia se dirigea vers sa fenêtre avec une moue sceptique.

— Je ne vois rien.

Emma la rejoignit en luttant contre l'agacement que lui inspirait son impatience.

— Là-bas ! dit-elle en pointant son doigt vers la

forêt. Cette lueur orange, entre les arbres… C'est là. Il faudrait que tu montes à l'étage pour mieux le voir.

Lucia plissa le front.

— Nous devons prévenir les villageois, déclarat-elle en enfilant ses pantoufles avant de se précipiter hors de sa chambre. Ce feu risque de déclencher un incendie…

Emma la poursuivit avec Angel sur les talons.

— Si tu veux, mais fais vite. Nous devons partir à la recherche de Damien.

Lucia s'arrêta net pour se tourner vers elle.

— Il n'est pas question que nous sortions du manoir, ni l'une ni l'autre.

— J'irai chercher Damien avec ou sans toi, répliqua Emma en se penchant pour prendre Angel dans ses bras. Je sens qu'il a besoin de moi… Il n'est pas question que je l'abandonne !

— Tu es folle ! grommela Lucia.

— Je ne sais pas si je te l'apprends, Lucia, mais il y a des vampires là-dehors… des vampires très forts et très méchants qui sont peut-être sur le point d'en faire leur dîner.

Lucia la fixa sans dire un mot.

— Je sais que ça peut paraître fou, mais je les ai vus de mes propres yeux et je…

— C'est vrai, l'interrompit Lucia avec douceur. Je suis au courant.

Emma ferma les yeux un instant pour s'abandonner à son soulagement. Elle n'était pas en train de devenir folle et, cette fois, elle n'était pas seule. Elle se redressa et leva le menton.

— Je ne les laisserai pas lui faire de mal, Lucia,

déclara-t-elle avec assurance. Je l'aime et je vais partir à sa recherche avec ou sans toi.

Lucia écarquilla les yeux.

— Il ne faut pas ! La malédiction…

— Je sais. Mais nous n'avons pas pu nous en empêcher. Nous sommes amoureux l'un de l'autre. Et comme tu peux le constater, ajouta-t-elle en écartant les bras, je suis encore parfaitement humaine. Je ne me suis pas transformée en monstre sanguinaire et je n'ai tué personne. Tu ne cours aucun risque à me suivre.

— Avez-vous fait l'amour ? lui demanda Lucia après avoir grommelé quelques jurons bien sentis.

Emma se sentit rougir.

— Pas encore…

Lucia secoua la tête avec une grimace réprobatrice.

— Comment peux-tu l'aimer ? Ce ne sont que des propos d'écervelée. Tu ne sais rien de lui. Il n'est même pas ce que…

— Je sais que c'est un homme bon et attentionné, l'interrompit Emma. Grâce à lui, j'ai l'impression d'être spéciale.

Lucia lui fit les gros yeux.

— Arrête ça ! lui ordonna Emma.

— Très bien. Mais pose-toi cette question, Emma : Damien voudrait-il que tu ailles te promener dans les bois en pleine nuit ? C'est le soir de l'équinoxe ! Essaie d'abord de survivre à cette nuit et nous pourrons parler de ton grand amour dès demain…

— Je sais. Je comprends parfaitement ton point de vue. Et, non, il ne voudrait pas que j'aille me promener dans les bois. Il espère que je suis dans mon lit, *toute seule*, en train de dormir. Mais je n'ai pas l'intention de rester ici sans rien faire alors qu'un clan de vampires s'en prend à lui !

Lucia leva les bras au ciel.

— Très bien, se rendit-elle. Laisse-moi le temps de m'habiller. Mais tu n'iras nulle part sans moi et sans armes, est-ce que c'est bien clair ?

— Comme de l'eau de roche, répondit Emma en esquissant un sourire. Je savais bien que tu finirais par changer d'avis.

— N'en fais pas trop, Emma…

— Je ne l'oublierai jamais, Lucia ! lui lança-t-elle alors qu'elle disparaissait dans sa chambre. Jamais…

Elle baissa les yeux vers Angel, qui la fixait de ses grands yeux marron sans rien comprendre.

— Non, tu ne peux pas venir avec nous…

Elle alla l'enfermer dans la lingerie et en revenait tout juste lorsque Lucia ressortit de sa chambre.

— Tu es prête ? lui demanda Emma.

— Pas encore, répondit-elle en allant ouvrir un placard sous l'escalier d'où elle tira diverses armes.

Emma la regarda faire avec des yeux écarquillés.

— Dois-je en déduire que tu connais l'existence des vampires depuis un long moment ?

— On peut dire ça, grommela Lucia en lui tendant une dague en argent et plusieurs pieux. Tu sais t'en servir ?

Emma acquiesça.

— Maintenant, oui.

Lucia se remit vite de sa surprise pour tirer une arbalète et une boîte de carreaux du placard, puis toutes deux se précipitèrent dans la cuisine.

— Es-tu prête ? lui demanda Lucia devant la porte du cellier.

Emma fixa la porte.

— Je n'ai jamais été aussi prête de ma vie, répondit-elle en ignorant son début de nausée.

15

Lorsque Nicholaï le lâcha, Damien se dirigea sans hésiter vers la fille attachée entre deux arbres qui paraissait s'être évanouie.

— Voilà en quoi nous sommes différents, toi et moi ! lança-t-il à son frère. Boire du sang humain ne te suffit pas : tu te complais à torturer tes victimes.

Nicholaï éclata de rire.

— As-tu l'impression qu'elle souffre ? Elle est simplement suspendue là où nous pouvons admirer sa beauté. Car elle est magnifique, n'est-ce pas ?

— Oui, magnifique, terrifiée et le visage inondé de larmes, répliqua Damien en détachant l'un des poignets de la fille, qui s'agrippa aussitôt à lui.

— Regarde-la dans les yeux, frérot, et dis-moi si c'est une pauvre victime que tu vois...

Damien se tourna vers la jeune femme et ne lut que de la terreur et du désespoir dans ses yeux. La rage au ventre, il plongea son regard dans celui de son frère avec une grimace de dégoût.

— Ce n'est qu'une pauvre fille terrifiée. Elle est à peine plus âgée que ne l'étaient nos sœurs quand des vampires qui ne valaient pas mieux que vous les ont massacrées.

Nicholaï le plaqua contre un tronc d'arbre d'un

mouvement si rapide qu'il ne vit rien venir. Damien se retrouva suspendu par la gorge, les pieds touchant à peine le sol et le visage de son frère à quelques centimètres du sien.

— Tu n'y as jamais goûté, n'est-ce pas ?

— Lâche-moi ! grogna Damien en essayant vainement de le repousser.

— Je savais que tu vivais dans la privation, mais je viens seulement de comprendre que tu n'avais jamais bu une goutte de sang humain... Tu te permets de nous prendre de haut alors que tu n'as même pas goûté à l'élixir destiné à parachever ta transformation en gardien de la nuit !

Damien éclata de rire, puis secoua la tête autant que sa position le lui permettait.

— Un gardien ? Tu as une bien haute opinion de toi-même, mon frère ! Tu n'es qu'un meurtrier, un vaurien, un monstre de la pire espèce.

— Tu as laissé ces soi-disant protecteurs de l'humanité t'émasculer, commenta Nicholaï avec mépris en le lâchant.

Damien se laissa glisser le long du tronc.

— Ils m'ont apporté plus que tu ne pourras jamais le comprendre...

— Vraiment ? le défia Nicholaï. Et c'est pour ça que tu erres comme une âme en peine sans but et sans espoir ?

Damien en resta sans voix pendant quelques instants. Qu'aurait-il pu répondre ? Nicholaï avait raison.

— Tu ne sais pas de quoi tu parles, finit-il par

répliquer en sentant bien à quel point sa voix manquait de conviction.

Nicholaï le gifla brutalement.

— Dis-moi encore à quel point tu es fort ! Explique-moi encore comment ta rhétorique creuse et ta manipulation des cristaux t'ont permis de découvrir ta véritable nature...

Damien se massa la joue, puis bondit pour se jeter sur son frère. Il ne put placer que deux coups avant d'atterrir lourdement face contre terre. Les vampires, qui avaient formé un cercle autour d'eux applaudirent et poussèrent des grognements joyeux. Un hurlement féminin domina leur vacarme.

Il releva la tête pour voir son frère griffer profondément la poitrine de la fille avant de lui rattacher le poignet. Son hurlement se transforma en sanglots étouffés tandis que son sang s'écoulait abondamment sur sa peau blanche. Le parfum métallique qui l'enveloppa lui brûla la gorge et réveilla ses crampes d'estomac. Damien se raidit.

Lorsqu'il bondit encore, Nicholaï lui décocha un coup de pied en pleine mâchoire. Fou de rage, Damien laissa ses canines s'allonger. Si Nicholaï voulait se battre, il allait trouver un adversaire à sa mesure... Il prit son élan pour lui donner un coup de pied dans l'estomac.

Nicholaï grogna et se plia en deux, mais il était si rapide qu'il parvint à le faire tomber aux pieds de la femme avant qu'il n'ait le temps de le frapper encore. Son frère passa son doigt sur la poitrine de la fille avant de le lui enfoncer dans la bouche. Ce n'étaient que quelques gouttes de sang, mais elles lui brûlèrent la langue et livrèrent son âme à l'angoisse.

— Tu es l'un d'entre nous, déclara Nicholaï. Tu es un vampire ! A présent, tu devrais être capable de voir les péchés de cette catin au fond de ses yeux...

Il l'entraîna vers la fille sans qu'il trouve la volonté de lui résister.

Damien n'arrivait plus à penser. Il ne comprenait pas le besoin qui germait en lui et qui exigeait d'être satisfait. Malgré toute l'horreur que ses sensations lui inspiraient, il ne parvenait plus à détacher ses yeux de la poitrine ensanglantée de la jeune femme. Finalement, lorsque Nicholaï lui pressa le visage contre ses seins, il ne put s'empêcher de laper frénétiquement l'élixir délectable.

Plus il buvait, plus il avait l'impression d'avoir vécu au bord de l'inanition et de satisfaire son appétit pour la toute première fois. Le sang de cette femme lui rassasiait à la fois le corps et l'esprit. Même sa perception se modifia. Tous ses sens s'aiguisèrent et le monde lui parut brusquement bien plus beau.

Il pouvait entendre battre le cœur de sa victime, sentir le parfum enivrant de sa peur et goûter son âme mêlée à son sang.

— Maintenant regarde-la dans les yeux, mon cher frère, insista Nicholaï en l'attrapant par les cheveux pour le forcer à lui obéir.

Damien fut horrifié par ce qu'il y découvrit.

— Ils ne sont pas nécessairement innocents parce qu'ils sont humains, commenta Nicholaï. Pour la plupart, ils ont une place légitime dans la chaîne alimentaire. Ce qui nous différencie des bêtes, c'est que nous sommes capables de déterminer lesquels *méritent* de mourir.

Il se pencha pour mordre la gorge de la fille. Au lieu de hurler de terreur comme il s'y attendait, elle poussa un gémissement de plaisir et se frotta contre lui. Ses pointes de seins étaient dures contre sa peau et le parfum de son désir étourdissant.

— Je te l'offre ! annonça son frère. Bois tout ton soûl, Damien. Offre à cette catin des plaisirs tels qu'elle n'en a jamais rêvé avant qu'elle n'en meure...

Damien sentit son désir s'éveiller et n'aspira plus qu'à lui obéir. Ecœuré par lui-même, il s'enfuit en courant. Ce n'était pas la peur qui le faisait courir, mais sa soif et son besoin incontrôlable de planter ses canines dans la peau délicate de cette fille.

Il voulait se délecter de son sang jusqu'à la dernière goutte et entendre son cœur battre au même rythme que le sien jusqu'à son ultime pulsation. Il courut comme un fou pour fuir l'instinct qu'il sentait s'éveiller en lui.

Mais il n'alla pas bien loin. Deux des sbires de son frère l'attrapèrent pour le ramener impitoyablement vers la fille. Alors il ne parvint plus à se contrôler et fit ce qu'il avait toujours cru qu'il ne ferait jamais. Il planta ses canines dans sa gorge et but comme s'il venait tout juste de renaître, sous les encouragements de son frère et de sa bande.

Finalement, lorsque le cœur de sa victime n'émit plus qu'un faible murmure, il se laissa glisser à terre en proie à un désespoir infini.

— Tu es l'un d'entre nous, mon frère, répéta Nicholaï avec un ricanement mauvais.

— C'est insensé, grommela Lucia alors qu'elles venaient de dépasser le labyrinthe et pénétraient dans la forêt. Nous devrions faire demi-tour maintenant.

Le faisceau de la lampe de poche dansait devant elles en éclairant à peine leurs pas.

— Damien a besoin de nous. Il n'est pas question que je l'abandonne. Fais-moi confiance : je suis capable de faire face à quelques vampires, lui assura Emma par pur désespoir. Ils m'ont entraînée.

Lucia ricana.

— J'exagère, c'est vrai, reconnut-elle. Je suis aussi terrifiée que toi, évidemment… Mais je ne l'abandonnerai pas pour autant.

— C'est un agent du Cadre, Emma… Un professionnel. Il sait ce qu'il fait, contrairement à nous…

— Nous faisons équipe. Je dois lui venir en aide.

— Mais tu ne le connais que depuis quelques jours ! Et comment peux-tu être aussi sûre qu'il a besoin de toi.

— Je le suis, c'est tout.

Lucia jeta un coup d'œil par-dessus son épaule en tâchant de ne pas s'écarter de l'étroit sentier.

— Pourquoi n'avons-nous pas vu les loups ?

— Pourquoi t'en plains-tu ?

— C'est inhabituel. Ils ne sont jamais loin du manoir.

— Je ne sais pas pourquoi ils se cachent, reconnut Emma en observant les environs. Mais mieux vaut considérer que nous avons de la chance…

— C'est ce que je fais.

Elles ralentirent et se turent en approchant de la clairière. Emma trouva le feu gigantesque vu d'aussi près et s'en inquiéta pendant quelques instants. Ceux qui l'avaient allumé allaient-ils savoir l'éteindre ? Un incendie pouvait dévaster la moitié de la forêt, sans parler du manoir...

— J'ai un mauvais pressentiment, chuchota Lucia tandis qu'elles rampaient dans les buissons.

Emma fut bien obligée de s'avouer qu'elle le partageait. Et si elle s'était trompée ? Damien n'était peut-être pas là... Avait-elle entraîné Lucia dans un piège ? Comment pourrait-elle se le pardonner ? Elle se raidit. Ces vampires n'auraient pas allumé un tel brasier s'ils n'avaient pas voulu qu'on les voie de loin... Elle ne put s'empêcher de frémir avant de se glisser derrière un nouveau buisson en espérant qu'elle ne venait pas de commettre la pire erreur de sa vie.

— Que vois-tu ? lui demanda Lucia, qui venait de se cogner contre elle.

— Rien, répondit-elle. A part des tas de gens en cercle autour du feu...

Ils étaient bien plus nombreux qu'elle ne s'y attendait... Emma faillit éclater d'un rire hystérique en prenant conscience de l'absurdité de la situation. Même si Damien se trouvait là, que pouvait-elle faire pour l'aider ?

— Est-ce que ce sont tous des vampires, d'après toi ?

Lucia se signa pour toute réponse.

— Nous devons rentrer au manoir. Maintenant !

Emma acquiesça. Lucia avait raison. C'était

insensé… Elle fit demi-tour, jeta un dernier coup d'œil par-dessus son épaule avant de s'éloigner de la clairière et se pétrifia. La foule s'était écartée, ce qui lui permit de découvrir Damien aux pieds d'une femme attachée entre deux arbres. Son visage n'était plus le même. Sa bouche était plus grande et ses canines s'étaient transformées en crocs effrayants.

Emma sentit son sang se glacer et écarquilla les yeux sans comprendre ce qu'elle voyait. Sa gorge se mit à émettre de petits bruits qu'elle remarqua à peine. Ce devait être une illusion, un jeu cruel visant à lui faire perdre la raison.

Incapable de faire le moindre geste, presque aveuglée par les larmes, elle regarda Damien planter ses canines dans la gorge de la fille. Elle poussa un cri étouffé lorsque le sang jaillit et sentit ses jambes la trahir. Alors sa vision s'obscurcit et la nausée la força à tomber à quatre pattes pour vomir.

C'étaient bien des vampires.

Mais pas Damien… , gémissait son esprit.

Lorsqu'elle n'eut plus rien à vomir, Lucia l'attrapa par la taille pour l'entraîner loin de la clairière.

— Dépêche-toi ! chuchota-t-elle.

Mais Emma ne l'entendit pas vraiment. Complètement abasourdie, elle se laissa entraîner loin du feu et de ce cauchemar pour retrouver la sécurité du manoir.

Des vampires vivaient dans la forêt de Pluie-de-Loups… depuis toujours. Des souvenirs enfouis depuis longtemps revinrent à la surface. Ils avaient toujours été là et elle le savait très bien, parce qu'elle en avait déjà vu, lorsqu'elle était petite… dans le cellier.

Ils étaient venus pour sa mère et avaient bu son sang jusqu'à la dernière goutte. Puis ils l'avaient abandonnée pour la laisser mourir sur ses genoux. Un gémissement issu du plus profond d'elle-même s'échappa de sa gorge.

— Tais-toi ! lui ordonna Lucia en la forçant à accélérer.

Elles se mirent presque à courir sur le sentier obscur à la poursuite du faisceau lumineux qui les guidait vers le manoir, loin des créatures qui lui avaient fait bien plus de mal que les loups.

Les images qu'elle avait refoulées si longtemps se bousculaient dans son esprit. C'était ce que Damien et le Cadre avaient voulu... Mais elle ne voyait que du sang.

Il y en avait partout...

Emma était si bouleversée que seules la terreur et l'adrénaline lui permettaient de courir. Elle se souvint de l'étau des doigts de sa mère, qui la tirait...

Elle lui avait serré le poignet trop fort, aussi fort que Lucia, qui l'entraînait à présent vers le labyrinthe, la fontaine à l'eau croupie et le cellier où tout avait commencé. Elle se souvint du sourire cruel de sa mère et de l'éclat maléfique de son regard lorsqu'elle était devenue le vaisseau d'Asmos.

Alors un homme était apparu. Son sourire, aussi cruel que celui de sa mère, découvrait des canines longues et pointues. Sa mère s'était défendue mais il avait fini par gagner. Emma revit sa mère écarquiller les yeux en sentant ses canines se planter dans sa gorge. Lorsque les loups s'étaient finalement jetés sur lui, l'homme s'était volatilisé aussi subitement qu'il était apparu.

Sa mère avait ouvert la bouche, battu des paupières et poussé un faible gémissement avant de s'effondrer sur le sol. Emma s'était précipitée auprès d'elle. Elle avait posé sa tête sur ses genoux et écarté ses cheveux de son visage… C'était à ce moment-là que sa mère lui avait fait promettre de ne jamais tomber amoureuse. Elle l'avait mise en garde contre la malédiction, puis la vie l'avait quittée et son regard vide s'était fixé sur le plafond.

Alors Emma s'était mise à pleurer… et ses larmes ne s'étaient jamais vraiment taries.

Emma essuya ses joues inondées de larmes. Ce n'était ni un loup, ni un démon, ni une meute de chiens errants qui avait tué sa mère.

C'était un vampire.

Damien…, chuchota la voix qui s'insinuait en lui pour jouer avec ses nerfs à la sensibilité exacerbée.

Il ferma les yeux et inspira profondément pour tenter de recouvrer ses esprits.

Cours après elle, Damien ! Sauve Emma !

Emma ? Ici ? Il songea à elle et la sentit aussitôt. Elle courait, folle de terreur… Il secoua la tête pour dissiper l'engourdissement de la satiété et s'arracher aux frissons de plaisir qui le parcouraient. Alors il tourna la tête vers le corps inerte de la fille et remarqua qu'elle était morte. Il l'avait tuée…

Il roula à quatre pattes pour vomir.

— Rattrapez-la ! entendit-il Nicholaï crier.

Il leva la tête et vit les vampires de son frère s'élancer en direction du manoir. Au loin, il entendait Lucia encourager Emma à courir. Pis, il entendait les gémissements d'Emma et comprit qu'ils ne cesseraient jamais de le hanter.

— Non ! Laisse-les tranquilles ! supplia-t-il.

— Les laisser tranquilles ?

Nicholaï éclata de rire.

— Mais pourquoi crois-tu donc que j'aie fait tout ça ? Pour le bien de ton âme égarée ? Tu n'as pas autant d'importance... C'est la fille qui m'intéresse. Il n'a jamais été question que d'elle... Tu m'as simplement servi d'appât — et tu m'as rendu les choses incroyablement faciles.

Il lui décocha un clin d'œil, puis s'élança après ses hommes hors de la clairière, en direction du manoir de Pluie-de-Loups...

... à la poursuite d'Emma !

Damien se releva vivement et vacilla dangereusement, le temps de s'habituer à l'effet que le sang humain avait sur son corps. Deux des sbires de Nicholaï coupèrent les liens qui soutenaient encore la fille pour jeter son cadavre dans le feu. L'odeur de sa chair brûlée lui retourna l'estomac et le força à vomir encore. Il serra les poings de rage et de frustration.

Il avait lutté toute sa vie pour rester pur et mériter de devenir un adepte. Et voilà que Nicholaï venait de le dépouiller de tout ce qu'il avait accompli en un instant. A présent, il ne valait pas mieux que les monstres qui riaient en le montrant du doigt. Il n'était plus qu'un prédateur sans âme, sans cœur et sans raisons d'être, une créature vouée à donner la mort, un pur gâchis...

Un accès de rage lui rendit brutalement toute sa lucidité. Il bondit avec une précision fatale, une dague dans chaque main, et frappa au même instant les deux vampires qui se trouvaient près de lui, avant de jeter leurs corps dans les flammes, aussi facilement qu'ils y avaient jeté celui de la fille.

Il les regarda brûler quelques instants avant d'exploser en un nuage de cendres. Le plaisir que ce spectacle lui procura le surprit et le terrifia. Alors il se jeta sur un autre vampire avec l'intention d'en exterminer autant qu'il le pourrait. Tant qu'il lui resterait un souffle de vie, il ferait tout pour les empêcher de s'emparer d'Emma.

Son frère allait payer pour ce qu'il lui avait fait. Il s'approcha d'une femme qui se cachait dans un buisson et joua un instant avec l'idée de la laisser s'enfuir. Alors il sentit qu'elle empestait le sang, la fourberie et la cruauté.

Elle ne tuerait plus personne.

16

Emma courait aussi vite qu'elle en était capable, quelques pas derrière Lucia. Ses muscles étaient tétanisés, ses pieds en sang et ses poumons lui faisaient mal à chaque inspiration. Elle entendait leurs poursuivants se déplacer dans les buissons derrière elles, et leurs pas se rapprocher. Malgré sa terreur, Emma ne put s'empêcher de jeter un coup d'œil par-dessus son épaule. Elle devait savoir...

Elle inspira profondément avant de tourner la tête sans ralentir. Le plus proche de ses poursuivants n'était qu'à quelques pas derrière elle, et les autres à peine plus loin.

Emma sursauta et s'efforça d'accélérer encore, mais ses pieds engourdis se prirent dans une racine. Elle trébucha et parvint de justesse à retrouver son équilibre pour se faire fouetter le visage par une branche.

Des larmes de chagrin et de terreur lui brouillèrent la vue. Après avoir survécu pendant toutes ces années, elle allait mourir cette nuit sans même avoir goûté à l'amour. Ce n'étaient ni la malédiction ni les loups qui allaient la tuer, mais un vampire qui voulait s'approprier l'essence démoniaque qui coulait dans ses veines.

La silhouette du manoir et la masse sombre du labyrinthe se dessinèrent devant elles. Emma parvint à accélérer encore en sentant quelque chose effleurer son épaule. Si seulement elle parvenait à atteindre le labyrinthe et sa fontaine, elle serait sauvée. Les vampires n'avaient-ils pas besoin qu'elle les invite pour pénétrer sous son toit ? Mais peut-être n'était-ce qu'un mythe… Pourquoi l'ignorait-elle ? Pourquoi le Cadre et Damien ne l'avaient-ils pas préparée à affronter des vampires ?

Damien… De nouvelles larmes lui montèrent aux yeux dès qu'elle pensa à lui. Parce qu'il était un vampire… Vu les circonstances, elle était bien forcée de supposer que lui aussi en voulait à son sang. Emma chassa cette idée de son esprit. Elle devait rester concentrée.

— Salaud ! grommela-t-elle en crispant ses doigts autour de l'un des pieux que lui avait donnés Lucia.

Un vampire lui posa sa main sur l'épaule au même instant pour l'attirer brutalement vers lui. Lucia hurla.

Emma heurta si violemment le sol qu'elle en eut le souffle coupé. Le vampire se jeta sur elle et s'empala sur le pieu qu'elle tenait à la main. Ses yeux emplis de haine s'écarquillèrent un instant avant qu'il n'explose en un nuage de cendres.

— Mon Dieu, Emma ! s'écria Lucia en accourant vers elle pour la relever. Il faut continuer…

Elle jeta un regard terrifié en direction des sept ou huit vampires qui les avaient presque rattrapées.

— Nous n'arriverons jamais à leur échapper,

murmura Emma en prenant brusquement conscience de la vanité de leurs efforts.

— Si, nous y arriverons ! Nous devons seulement atteindre le manoir... Dépêche-toi !

Emma recommença à courir. Elle distinguait mieux le labyrinthe, à présent... mais les loups en sortirent un par un lorsqu'elles approchèrent. Emma poussa un cri et tira sur le bras de Lucia pour la forcer à s'arrêter. Elles tombèrent aussitôt dans les bras l'une de l'autre.

— Et maintenant ? demanda Emma en tournant les yeux vers la porte de la cuisine.

Elle était assez proche pour qu'elle la distingue parfaitement, mais encore si loin... Serrées l'une contre l'autre, elles avancèrent lentement dans cette direction en sachant parfaitement qu'elles n'atteindraient jamais la porte si les loups décidaient d'attaquer.

Les vampires qui les poursuivaient s'arrêtèrent en découvrant les loups. Ils échangèrent des regards interrogateurs avant de reporter leur attention sur Emma et les loups.

— Des vampires derrière, des loups démoniaques devant, grommela Lucia. Dieu merci ! Ton père n'est pas là pour voir ça...

Emma faillit éclater d'un rire hystérique. Elles n'avaient nulle part où aller et aucun moyen d'échapper à leur destin funeste.

— Je suis là pour t'aider, Emma, cria l'un des vampires derrière elle. Retourne-toi et viens vers moi sans faire de mouvements brusques.

Emma tourna la tête vers le vampire dont la

voix faussement rassurante lui promettait le salut. Lorsqu'il se détacha des autres en lui tendant la main, elle reconnut ses yeux noirs et sentit son estomac se nouer. Elle recula précipitamment et agrippa le bras de Lucia tandis que les loups se mettaient à grogner.

— Tu me reconnais donc, commenta-t-il, visiblement amusé.

Elle le reconnaissait. Elle se souvenait parfaitement de ses yeux qui ne l'avaient pas quittée tandis qu'il vidait sa mère de son sang. C'était lui qui lui avait volé sa mère, son enfance et sa tranquillité d'esprit.

Sa rage s'éveilla et s'épanouit à travers son corps comme une plante maléfique. Elle chassa peu à peu sa terreur pour lui substituer une détermination implacable. Elle refusait d'être la victime de ce monstre plus longtemps.

Elle s'écarta de Lucia en serrant plus fort le manche de la dague en argent glissée dans sa poche.

— Je me souviens de toi. Tu ne me tueras pas aussi facilement que tu as tué ma mère.

Lucia étouffa un cri.

— Rentre dans le manoir, Lucia, ou cache-toi dans le labyrinthe, mais éloigne-toi vite d'ici…

— C'est hors de question.

Emma n'eut pas besoin de se retourner pour voir la détermination de Lucia se graver sur ses traits. L'assurance de sa voix lui suffit. C'était une bataille qu'elle n'allait pas livrer seule, même si c'était pour la perdre.

Elle s'autorisa un instant à songer au visage et à la voix de Damien, puis le chassa résolument de son esprit. Il lui avait menti alors qu'elle croyait en lui. Elle lui avait confié son cœur et s'était laissé convaincre qu'ils avaient un avenir, alors qu'il n'était même pas humain.

Il ne lui restait plus qu'à le considérer comme mort. Cette idée accrut encore sa rage et sa détermination. Elle allait s'en sortir sans lui...

— Tu n'as nulle part où fuir, chérie, reprit l'homme ou le monstre qui la tourmentait. Tu ferais aussi bien d'accepter l'inévitable...

Un sourire s'épanouit sur son visage tandis qu'il avançait encore.

Emma bouscula Lucia en reculant et l'entendit charger son arbalète.

— Je surveille tes arrières...

— Qu'avez-vous fait à Damien ? demanda Emma en espérant détourner l'attention des vampires de Lucia.

— J'ai aidé mon frère à découvrir sa véritable nature.

— Votre frère ? répéta Emma.

Elle observa plus attentivement le vampire et remarqua une certaine ressemblance entre Damien et lui. Ils avaient la même taille, la même couleur de peau, la même assurance lorsqu'ils la regardaient, la même certitude évidente qu'ils allaient réussir tout ce qu'ils entreprenaient et la même tendance agaçante à vouloir prendre des décisions pour elle.

Ils ne la connaissaient pas et, pour une fois, ils n'obtiendraient pas ce qu'ils voulaient.

— Ne l'écoute pas, chuchota Lucia. Il essaie de te distraire.

Elle se tourna vivement pour actionner son arbalète. Emma regarda le carreau se diriger vers le torse du frère de Damien en retenant son souffle.

Elle pria fébrilement pour que le projectile transperce son cœur maléfique, mais le vampire se baissa au dernier instant. Celui qui se trouvait juste derrière lui explosa en un nuage de cendres.

— Voilà qui n'est pas gentil, commenta le frère de Damien. Alors qu'on était en pleine conversation...

— Si vous approchez davantage, vous allez tous mourir ! lança Emma avec toute la bravoure dont elle était capable.

Le vampire éclata de rire.

— Tu as du mordant... Je commence à comprendre pourquoi Damien tient autant à toi.

Ces mots lui brisèrent le cœur.

— Ignore-le, chuchota Lucia en tirant un nouveau carreau qui ne fit qu'effleurer le bras d'un vampire.

— Je vais bientôt être à court de patience, mesdames, grogna le frère de Damien en perdant son sourire.

— Vous nous en voyez désolées, répliqua Emma en souriant à sa place.

— Tuez la vieille, mais livrez-moi Mlle McGovern indemne, ordonna le vampire en reculant pour laisser ses sbires se jeter sur elles.

Emma eut à peine le temps d'écarquiller les yeux avant que des grognements furieux ne lui fassent tourner la tête. Les loups chargeaient en même temps... La terreur la paralysa. Lucia la tira vers l'arrière et les loups... les dépassèrent.

Les babines retroussées, ils se ruèrent sur les

vampires pour les lacérer de leurs griffes et de leurs crocs. Emma les regarda semer la panique dans les rangs de ses ennemis sans pouvoir faire un geste.

— Que se passe-t-il ? balbutia-t-elle.

— Je ne sais pas, mais tiens-toi prête, répondit Lucia.

Quelques vampires avaient réussi à contourner le rempart des loups et couraient vers elles.

Lucia tira encore plusieurs carreaux en reculant vers le labyrinthe. Emma se mit en garde et parvint à tenir les vampires en respect grâce aux techniques que Damien lui avait enseignées à Saint-Yve.

Tout en combattant les vampires, elle ne put s'empêcher de songer à lui. Mais c'étaient ses canines, le sang et le cadavre couvert de morsures de cette pauvre fille qui lui revenaient à l'esprit.

Mon frère.

Damien était un vampire. Il l'était depuis le début. C'était pour cette raison que le Cadre l'avait chargé d'affronter Asmos et ses loups. Pourquoi ne lui avait-il rien dit ? Pourquoi l'avait-il laissée lui ouvrir son cœur et tomber amoureuse de lui ? Il avait parfaitement compris ce qui se passait…

La colère remplaça peu à peu sa douleur et réveilla le pouvoir qui dormait en elle. Emma élimina l'un après l'autre tous les vampires qui s'approchaient d'elle et comprit progressivement qu'elle allait finir par gagner. Elle avait le pouvoir de triompher du mal. Plus jamais elle ne vivrait dans la terreur des loups, des démons, ni même des vampires… Désormais, c'étaient eux qui allaient la craindre.

Le pouvoir qui s'éveillait en elle l'emplit d'une

joie inattendue. Sa confiance nouvelle, la certitude qu'elle était désormais capable de se débrouiller seule, avaient quelque chose d'enivrant. Elle n'avait besoin de personne, et surtout pas de Damien le vampire...

Dans la clairière, Damien tua un vampire après l'autre sans grande difficulté. Il comprit vite que les plus puissants d'entre eux s'étaient lancés à la poursuite d'Emma avec son frère. Son sang se glaça dans ses veines lorsqu'il l'entendit hurler. Il ne lui restait plus qu'à espérer que son frère ne la tue pas immédiatement et lui laisse le temps d'arriver jusqu'à eux.

La rage l'aida à accomplir ce qui était nécessaire et que le Cadre n'aurait jamais approuvé. Il extermina méthodiquement les membres du clan de son frère et y prit un grand plaisir, même s'il lui était pénible de le reconnaître. Il avait l'impression d'accomplir quelque chose. Bien que la plupart des vampires qu'il tuait soient encore jeunes, ils le dégoûtaient.

Lorsqu'il arrêta de combattre pour observer la clairière, son dégoût se retourna contre lui. Il n'y avait plus un seul vampire dans les environs. Il disparut aussitôt entre les arbres pour courir vers le manoir aussi vite qu'il en était capable. Le spectacle qu'il découvrit en approchant du labyrinthe le fit s'arrêter net. Lucia et Emma se défendaient farouchement contre deux ou trois vampires.

Mais le plus surprenant était le comportement des loups. Ils taillaient les vampires en pièces pour ne laisser que des dépouilles sanglantes qui suppliaient qu'on les achève. Les bêtes la défendaient. Abasourdie, il contempla le tableau démoniaque qu'il avait sous les yeux. Emma et sa meute de loups démoniaques... La scène ressemblait tant à celle à laquelle il avait assisté la nuit de sa transformation qu'il ne put que la contempler avec horreur et fascination.

Il se rappela les hurlements de ses sœurs lorsque Asmos avait pris possession du corps de Camilla pour faire un massacre. Comme si le démon ne suffisait pas, les vampires s'en étaient mêlés. Son créateur, le même que celui de Nicholaï, voulait son essence... Les membres de son clan ne voulaient que du sang.

C'est parce qu'il se savait incapable d'oublier cette nuit de carnage qu'il était devenu un membre du Cadre. Il croyait aux principes de l'ordre et à son utilité. Parfois, il arrivait à éprouver de la fierté à l'idée qu'il délivrait le monde des menaces qui pesaient sur lui.

Mais il arrivait aussi que les principes du Cadre rendent les chasseurs vulnérables et les forcent à payer un prix bien trop élevé. C'était le cas dans cette mission. Cette fois, les scientifiques du Cadre n'allaient recevoir aucun spécimen à étudier. A vrai dire, Damien ne leur en livrerait plus aucun. Il n'était plus membre de l'ordre. Il avait beaucoup trop de sang sur les mains... et dans l'estomac.

Son cœur saturé de sang humain avait perdu toute sa pureté. Il ne serait plus jamais capable de résister à ses instincts. Il ne se croyait même plus capable de capturer Asmos ou n'importe quel autre démon dans un cristal. Il était bien trop souillé.

Et c'était Emma qui allait payer le prix de sa

faiblesse. *Emma...* Il la regarda se battre avec un affreux sentiment de déjà-vu. Sauf que ce n'était plus Camilla qui commandait les loups, mais Emma.

Il ne put s'empêcher de frémir. Asmos... Le démon était déjà à l'œuvre. Il commençait à prendre possession d'elle, à la tenter, à lui mentir... Il lui offrait un sentiment de toute-puissance pour l'inciter à croire qu'il était la réponse à ses problèmes.

Incapable de détourner les yeux malgré la nausée qui le gagnait, il la regarda se baisser pour embrasser les loups et enfouir son visage dans leur fourrure. Tout était sa faute... Il l'avait abandonnée. Sa lâcheté et ses mensonges avaient fourni à Asmos l'occasion qu'il attendait.

Anéanti par sa culpabilité et ses remords, Damien ne vit pas le dernier vampire approcher. Il ne le sentit qu'au dernier moment et eut tout juste le temps de tourner la tête pour voir la batte dont il était armé venir se briser sur son crâne.

Damien tomba à genoux et le cri d'Emma résonna dans sa tête jusqu'à ce qu'il sombre dans le néant.

17

Emma regarda avec horreur le vampire abattre sa batte sur la tête de Damien. Celui-ci s'effondra lourdement. Elle poussa un cri et bondit, mais un carreau se planta dans le torse du vampire avant qu'il n'ait le temps de frapper encore.

Elle se précipita vers Damien, les loups sur les talons. Ceux-ci se placèrent autour d'eux pour monter la garde. Emma les observa quelques instants en se demandant pour la centième fois ce qui expliquait leur changement d'attitude.

Pourquoi la protégeaient-ils après l'avoir fait vivre dans la terreur pendant tant d'années ? Peut-être les vampires étaient-ils ses véritables ennemis et avait-elle eu tort de se méfier d'eux... Peut-être n'étaient-ils revenus année après année que pour la protéger du vampire qui avait tué sa mère...

Le frère de Damien.

Cette pensée lui brisa le cœur. Damien était-il le complice de son frère ? Ne l'avait-il laissée tomber amoureuse de lui que pour mieux la piéger ? C'était la certitude qu'il courait un danger qui l'avait incitée à quitter le manoir. S'était-elle trompée ou avait-il vraiment besoin d'elle ? Etait-elle arrivée trop tard ?

Elle souleva la tête de Damien pour la poser

sur ses genoux et écarta ses cheveux de son visage comme elle avait écarté ceux de sa mère cette nuit horrible où tout avait commencé. Damien avait une large entaille sur la tempe, et tout un côté de son visage était couvert de sang.

— Nous devrions le ramener à l'intérieur, suggéra Lucia en observant la blessure de Damien par-dessus son épaule.

— Comment sais-tu que nous pouvons lui faire confiance ?

— Grâce à toi.

Emma leva les yeux vers elle sans comprendre.

— Quoi ? Que veux-tu dire ?

— Quand tu as vu ce vampire l'attaquer, c'est avec ton cœur que tu as réagi. Tu sais au fond de toi qu'il ne nous veut aucun mal.

Emma sentit ses yeux s'emplir de larmes tandis qu'elle méditait les paroles de Lucia. Avait-elle raison ? Son cœur savait-il que les intentions de Damien étaient pures ? L'aimait-il ou n'était-elle qu'une idiote. Emma chassa résolument ces pensées.

— Peu importe. Nous ne pouvons pas le ramener au manoir. Il pèse bien trop lourd... Et je ne suis pas aussi certaine que toi que nous pouvons lui faire confiance.

— Nous ne pouvons pas l'abandonner comme ça, protesta Lucia. C'est un membre du Cadre... et il est venu ici pour nous aider.

Emma faillit éclater de rire.

— Depuis quand te soucies-tu du Cadre ?

Lucia pinça les lèvres.

— Je n'ai pas raison sur tout, tu sais..., grommela-t-elle avant d'observer les environs. J'ai l'impression qu'il n'y a plus de vampires dans le coin.

— Ça me paraît trop beau pour être vrai...

— Je vais aller chercher de la glace et des serviettes. Est-ce que je peux te laisser toute seule ?

Emma acquiesça.

— Je ne risque rien. Les loups veillent sur moi.

Elle observa les quatre bêtes qui montaient la garde et ne put s'empêcher de sourire. Elle était certaine, à présent, qu'ils seraient toujours là pour la protéger. Elle n'était plus seule.

Damien poussa un gémissement qui l'incita à prendre sa main dans la sienne. En remarquant du sang sous ses ongles, elle ne put s'empêcher de se demander si c'était le sien ou celui de la jeune femme. Comment avait-elle pu passer autant de temps auprès de lui sans percevoir le moindre indice ? Elle était tombée amoureuse d'un vampire sans se douter de rien.

Elle effleura ses lèvres en se rappelant les sensations qu'elles lui avaient procurées. Comme elles étaient douces contre les siennes... Son cœur se serra lorsqu'elle songea au rêve insensé qui venait de se briser. Alors Damien ouvrit les yeux et elle ne put s'empêcher de se perdre encore dans leur profondeur bleutée.

— Emma ? murmura-t-il.

Elle voulut lui offrir un sourire rassurant mais n'y parvint pas.

— Ça va aller, réussit-elle à répondre malgré sa gorge serrée.

Il essaya de s'asseoir en grimaçant avant de retomber sur ses genoux.

— Où est Nicholaï ? s'inquiéta-t-il.

L'un des loups grogna en entendant ce nom.

— Il n'y a plus personne, le rassura-t-elle après avoir observé les environs. Je crois — j'espère — qu'ils sont tous morts. Quoi qu'il en soit, plus personne ne viendra s'en prendre à nous. Mes loups veillent...

Damien grimaça encore.

— Il est dangereux.

— Ton frère ?

— Oui, répondit-il en parvenant à s'asseoir pour se prendre la tête entre les mains.

— Au fait... Depuis combien de temps es-tu un vampire ? lui demanda-t-elle sur le même ton qu'elle aurait employé pour s'enquérir du nombre de sucres qu'il voulait dans son thé.

— Je sais que j'aurais dû te le dire..., murmura-t-il.

— Effectivement, répondit-elle sans chercher à dissimuler sa colère.

— Nica m'avait prévenu. C'est juste que...

— C'est juste que quoi ? le pressa-t-elle en sentant sa patience atteindre ses limites.

Il se tourna vers elle.

— C'est juste que je ne pouvais pas supporter l'idée que tu me regardes comme tu le fais à cet instant.

— C'est-à-dire ? demanda-t-elle tout en connaissant parfaitement la réponse. Avec tout le dégoût et toute la haine dont je suis capable ?

— Ce n'est pas ce que tu ressens, répliqua-t-il en s'approchant d'elle. Je sais ce que tu éprouves vraiment pour moi...

Emma serra les dents sans parvenir à empêcher son cœur de s'affoler.

— C'était un mensonge. Il n'y a que des mensonges entre nous depuis le premier jour…

Il laissa sa tête retomber sur sa poitrine. Emma éprouva un élan de pitié pendant une fraction de seconde. Il avait eu beaucoup d'importance à ses yeux et elle n'avait pas envie de le haïr… Mais il était trop tard.

— Je me suis souvenue de quelque chose, ce soir, ajouta-t-elle.

— De quoi ? l'interrogea-t-il en levant les yeux.

Emma ne put s'empêcher d'être troublée par la tristesse et la sincérité qu'elle y lut et se raidit pour réussir à poursuivre.

— Ton frère. Je l'ai déjà vu avant ce soir.

Il prit une expression inquiète et presque terrifiée.

— Quand ?

— La nuit de la mort de ma mère. C'est lui qui l'a tuée en la vidant de son sang.

Damien la fixa sans rien dire.

— Je l'ai vu, insista-t-elle. Il était là. Il…

Sa voix se brisa.

— Il m'a souri…

— Je suis désolé.

Il tendit la main vers son visage pour lui offrir une caresse réconfortante, mais elle ne voulait pas de son réconfort. Rien de ce qui venait de lui ne pouvait l'intéresser.

Damien prit une profonde inspiration et chercha vainement à rencontrer son regard.

— Mon frère, tout comme notre créateur, se nourrit

d'essence de démon pour accroître ses pouvoirs, lui expliqua-t-il.

— Alors il traque des innocents et les tue simplement parce qu'ils ont la malchance de posséder l'essence d'un démon ? C'est écœurant !

— Sans doute, mais c'est ainsi. Certains vampires se nourrissent des faibles, d'autres des malades mentaux ou des criminels... D'autres encore préfèrent les démons.

— Et toi ?

— Je me nourris de sang d'animaux. Avant ce soir, je n'avais jamais bu une goutte de sang humain.

Elle l'observa un long moment en se demandant quel piège il lui tendait. Essayait-il de contourner ses défenses pour retrouver son chemin jusqu'à son cœur ?

— Que s'est-il passé ce soir ? l'interrogea-t-elle d'une voix tremblante en sachant pertinemment qu'elle lui fournissait un moyen de la reconquérir.

— Nicholaï voulait me briser et savait exactement comment s'y prendre...

— Et tu n'as pas pu refuser ? Tu n'as pas pu l'en empêcher ? Cette fille est morte !

— Je t'assure que je n'ai rien pu faire.

La douleur qu'elle entendit dans sa voix la persuada de sa sincérité plus efficacement que ses paroles. La pitié qu'elle forçait au silence faillit presque l'emporter.

Presque...

— Je suis désolé, Emma. J'ai échoué...

— Pardon ? balbutia-t-elle.

— Je ne vais plus pouvoir t'aider à vaincre Asmos. Il faut que j'appelle Nica au plus vite. Nous avons besoin de renforts. Je suis souillé... Je n'aurai plus la force d'attirer Asmos hors des loups pour le capturer dans un cristal.

Elle le fixa sans comprendre.

— A cause d'un coup sur la tête ? N'êtes-vous pas censés être immortels ?

Damien esquissa un sourire. Même si c'était un sourire las et chargé de tristesse, son maudit cœur ne put s'empêcher de manquer un battement.

— C'est le sang de cette femme qui m'a fait perdre ma pureté, lui expliqua-t-il. Il m'a rendu vulnérable aux influences démoniaques.

— Si tu le dis... Mais je te crois capable de résister aux influences démoniaques si tu as réussi à t'empêcher de boire du sang pendant tant d'années.

Il médita sa remarque sans la quitter des yeux.

— Une chose est sûre, en tout cas : je suis plus forte qu'avant, ajouta-t-elle. Nous pourrons quand même combattre Asmos, si besoin est.

— Non, c'est impossible...

Emma sentit sa colère se réveiller brutalement.

— Arrête d'être aussi défaitiste ! Ce n'est pas à toi de décider de ce que je peux faire ou non !

Elle inspira profondément pour ne pas se mettre à hurler.

— C'est l'essence d'Asmos qui te donne cette force nouvelle et ce sentiment de toute-puissance. C'est précisément ce que Nicholaï recherche... Il éprouve la même chose quand il se nourrit d'essence de démon. J'ai peur qu'Asmos ne soit assez puissant pour prendre possession de toi-même si la malédiction ne s'accomplit pas. Il se nourrit de ta colère et te transforme peu à peu... Je suis inquiet. Si tu t'abandonnes à la confiance qu'il t'inspire, il finira par triompher de toi.

— C'est absurde ! se défendit-elle.

Mais ses mots avaient semé le doute dans son esprit et la terreur recommença à l'envahir.

— Vraiment ? Réfléchis, Emma... Tu parles déjà de « tes » loups.

— Quoi ? murmura-t-elle.

— Tu as dit « mes loups », tout à l'heure.

— Vraiment ?

Elle essaya vainement de se souvenir. Avait-il raison ? Avait-elle l'impression qu'ils lui appartenaient ? Elle tourna les yeux vers les bêtes, en tira un immense réconfort et rejeta l'hypothèse défaitiste de Damien. Il ne pouvait pas comprendre, voilà tout.

— Ferme les yeux, Emma. Respire comme je te l'ai enseigné et dis-moi ce que tu vois.

— Je ne peux pas.

Ou, plutôt, elle ne le voulait pas. Elle ne voulait pas courir le risque de se laisser encore prendre au piège de ses mensonges... et elle aimait l'assurance nouvelle qu'elle éprouvait.

— Bien sûr que si.

Evidemment, qu'elle en était capable... Mais devait-elle le faire ? Ses paroles réveillaient sa terreur. Elle la sentait s'insinuer dans son esprit, lui glacer le sang et tétaniser ses muscles jusqu'à lui faire oublier comment respirer.

Damien prit sa main dans la sienne.

— Tout va bien se passer. Concentre-toi sur ma voix, Emma. Chasse tes peurs et les ténèbres qui envahissent ton esprit. Imagine qu'une lumière blanche et pure se déverse dans ton âme pour ne plus y laisser la moindre zone d'ombre. Tu peux le faire, Emma. Tu en as la force…

Oui, elle en avait la force. Comme il le voulait, elle imagina une lumière blanche jusqu'à retrouver le contrôle de sa respiration. Alors sa terreur et sa colère s'apaisèrent.

Elle ouvrit les yeux pour se perdre dans le regard de Damien, qui n'avait pas lâché sa main. Sa gorge se serra.

— Merci, murmura-t-elle en pressant son front contre le sien.

— Est-ce que ça va aller ?

Elle acquiesça.

— Grâce à toi…

— Alors rentrons.

Les loups se mirent à grogner lorsqu'ils se levèrent. Damien leur jeta des regards inquiets, mais ils n'essayèrent pas de les suivre quand ils se dirigèrent vers la porte de la cuisine.

Lucia les attendait avec de la glace et des serviettes que Damien lui prit des mains. Emma sembla presque redevenue elle-même lorsqu'elle prit sa petite chienne dans ses bras pour la couvrir de baisers. Damien ne put s'empêcher de sourire tristement en songeant à ce qu'ils avaient perdu…

Il se ressaisit. Ce n'était pas le moment de s'apitoyer sur son sort. Il était épuisé et devait se reposer avant toute chose. Il n'avait pas dormi depuis bien longtemps et savait pertinemment que sa vie lui paraîtrait tout aussi désastreuse à son réveil.

Il n'allait pas manquer de retrouver son désespoir familier dès qu'il aurait quitté le manoir.

Il semblait bien que le vieux comte allait rire le dernier, finalement... Il tira son téléphone de sa poche, composa le numéro de Nica et la mit au courant des événements qui venaient de se produire. Bien évidemment, il garda certaines choses pour lui. Pour sa propre sécurité, mieux valait que le Cadre ne sache pas tout. Il ne voulait surtout pas finir emmuré dans les oubliettes du manoir de Saint-Yve.

— La nuit de l'équinoxe touche à sa fin, conclut-il. Emma a conclu une sorte de trêve avec Asmos et les loups. Je pense qu'elle ne court plus aucun risque, du moins cette année...

— En es-tu sûr ? lui demanda Nica.

— Oui. La nuit a été longue et riche en événements... Asmos est venu, puis reparti. Fin de l'histoire...

— Et ton frère ?

— Malheureusement, nous avons dû éliminer presque tout son clan.

— Vous n'avez pas pu faire autrement ?

— Je suis désolé. Ils étaient beaucoup plus nombreux que nous. Je comprendrais très bien que le Cadre préfère se passer de mes services après ça et m'interdise de revenir au château. Je suis tout à fait prêt à assumer les conséquences de mes actes.

A vrai dire, ce n'était qu'une manière polie d'exposer le fond de sa pensée. Il aurait été profondément soulagé de ne plus mettre les pieds au manoir de Saint-Yve pendant un millénaire.

— Tu as fait ce qu'il fallait. Nous sommes plusieurs à croire en toi, Damien.

Il sentit sa gorge se serrer.

— Merci.

Ses paroles le réconfortaient effectivement... A ceci près qu'il n'était pas certain de pouvoir la croire.

— Tu ne m'as pas dit ce qui était arrivé à Nicholaï, lui fit remarquer Nica.

— Parce que je l'ignore. Je serais surpris que nous ayons réussi à nous débarrasser de lui si facilement, mais je ne sens plus sa présence.

— Espérons qu'il est parti pour de bon...

— Ça me paraît peu probable, grommela Damien.

En vérité, il avait la ferme intention de rester quelques semaines au village pour s'assurer qu'Emma ne courait plus aucun risque.

— Et la malédiction ?

— Je crois que nous y avons échappé aussi. Asmos et les loups semblent être repartis d'où ils étaient venus. Je ne perçois pas plus leur présence que celle de mon frère. Il ne nous reste plus qu'à attendre de voir s'ils reviennent l'année prochaine...

— Merci pour tout, Damien. Dis à Emma que nous ramènerons son père à la Pluie-de-Loups dès demain. Sa convalescence est stupéfiante...

— Elle sera ravie de l'apprendre.

— Prends soin de toi, Damien, ajouta-t-elle avec un soupçon de tendresse dans la voix.

— C'est promis, répondit-il avant de raccrocher.

Ils n'avaient plus que quelques heures à tenir avant l'aube... Damien embrassa Lucia sur la joue, puis Emma sans parvenir à empêcher ses lèvres de trembler. Son doux sourire et sa manière de le regarder allaient terriblement lui manquer.

Mais, de toute évidence, Emma n'avait plus envie de se laisser courtiser par des monstres. Elle ne lui jetait plus que des regards méfiants et se raidit lorsque ses lèvres effleurèrent sa joue.

Damien se détourna d'elle pour monter dans sa chambre. Il tira les rideaux et étendit une dernière fois sa perception à la recherche de son frère et des loups avant de pousser l'armoire devant la fenêtre.

C'était terminé.

Il s'allongea, ferma les yeux et s'endormit presque aussitôt en s'imaginant dans un champ de blé sous un ciel de la couleur des yeux d'Emma.

18

Emma regarda Damien monter l'escalier, les épaules basses mais la tête haute. Elle avait écouté sa conversation avec Nica. Il allait bientôt partir, maintenant qu'Asmos et son frère ne la menaçaient plus. Il aurait peut-être déjà disparu à son réveil. Il allait se fondre dans les ténèbres d'où il avait jailli en ne lui laissant que ses souvenirs à lui.

Son passage lui avait apporté quelques instants de bonheur dans une vie de solitude. Emma songea à ce qui aurait pu être et sentit la tristesse l'envahir. Si seulement… Elle se détourna de l'escalier.

— Va le voir, suggéra Lucia.

— Non, répondit-elle en réprimant ses larmes.

Mieux valait qu'ils se séparent de cette manière.

— Tu ne peux pas fuir l'amour, Emma. Son départ ne t'empêchera pas de continuer à l'aimer. Tu vas penser à lui chaque jour de ta vie en te demandant si tu n'as pas commis une erreur… Ne laisse pas les regrets triompher, Emma. Va lui parler. Ne le laisse pas partir avant d'être certaine de ce que tu éprouves.

Elle savait bien que Lucia avait raison, mais cela ne lui rendait pas les choses plus faciles. Pourtant certains obstacles ne pouvaient pas être surmontés et sa nature de vampire lui semblait trop difficile à accepter.

— Et la malédiction, Lucia ? Ne m'as-tu pas mise en garde contre l'amour depuis ma plus tendre enfance ? Pourquoi as-tu changé d'avis ?

— Parce que je veux te voir heureuse. Tu ne peux pas passer le reste de ta vie avec moi dans ce vieux manoir… Et tu as entendu ce que disait Damien : Asmos et les loups ont disparu. Je m'inquiéterai l'année prochaine.

Emma observa la cuisine qu'elle connaissait depuis toujours. Lucia avait-elle raison ? Seraient-elles encore dans cette même cuisine, vingt ou trente ans plus tard, en train d'évoquer cette nuit et de se demander ce qui serait advenu si elle avait agi différemment ? Elle ne put s'empêcher de frémir.

Comment allait-elle supporter de ne plus jamais voir Damien ? L'aimait-elle encore malgré ce qu'elle avait vu ? Pouvait-elle accepter sa nature ? Et même si c'était le cas, sauraient-ils trouver un moyen d'être heureux ensemble ?

— Les choses sont souvent plus compliquées qu'on ne le voudrait, reprit Lucia en tirant un pot de glace aux noix de pécan du congélateur. Les grands problèmes de la vie n'ont pas toujours des réponses simples… Parfois, nous devons simplement suivre notre cœur.

Elle ouvrit le placard pour prendre un bol.

— Tu en veux ?

Emma secoua la tête.

— Non merci.

Elle médita les paroles de Lucia et s'efforça

d'écouter son cœur, mais elle n'arrivait plus à être certaine de rien. Elle regretta que Damien ne soit pas là pour manger de la glace avec elles. Alors peut-être aurait-elle su si sa seule présence faisait toujours manquer un battement à son cœur, si sa gorge se serrait toujours quand il la regardait, si elle se sentait toujours belle grâce à lui...

Elle soupira.

— Je vais aller me coucher. J'y verrai peut-être plus clair demain.

— Ça ne me paraît pas une mauvaise idée, lui accorda Lucia en prenant une cuillerée de glace.

Emma monta à l'étage, déposa Angel sur son lit puis, malgré elle, se dirigea vers la chambre de Damien. Allait-il accepter de lui parler ? Se souciait-il encore d'elle ? Elle frappa doucement à sa porte et craignit un instant qu'il ne soit déjà parti en la privant de sa dernière chance de comprendre son cœur.

Comment supporterait-elle de ne plus jamais le revoir ? Son cœur se serra à cette idée. Elle levait la main pour insister lorsque la porte s'ouvrit. Damien se tenait devant elle, les cheveux ébouriffés, les yeux cernés.

— Excuse-moi de te déranger, murmura-t-elle.

Il la fixa sans lui sourire. Son attitude n'exprimait plus qu'un profond sentiment de défaite. Un silence inconfortable s'installa entre eux.

— J'ai eu peur que tu t'en ailles sans nous laisser une dernière occasion de nous parler, reprit-elle.

La tristesse qui passa dans ses yeux lui apprit que c'était bien son intention.

— Mais nous avons besoin de parler, insista-t-elle.

Promets-moi que tu ne t'en iras pas avant que nous n'ayons réussi à déterminer ce que nous éprouvons vraiment l'un pour l'autre...

— Je ne peux pas te le promettre, répondit-il d'une voix neutre.

La terreur l'envahit.

— Damien...

— Je suis fatigué, Emma. Je ne suis plus en état de discuter.

— Plus tard, alors ? lui demanda-t-elle sans parvenir à contrôler le timbre de sa voix.

Il hocha la tête, puis referma la porte.

Mais il ne lui avait rien promis. Pendant quelques instants, Emma resta plantée là, certaine qu'il allait tout faire pour l'éviter. Si elle n'agissait pas immédiatement, elle allait le perdre pour toujours. Or, elle ne supportait plus l'idée de vivre aussi longtemps sans amour...

Son plan se formait déjà dans son esprit lorsqu'elle repartit en courant vers sa chambre.

Emma enfila ses dessous les plus aguicheurs en se demandant si elle n'était pas en train de commettre une erreur monumentale. Voulait-elle vraiment franchir ce pas ? Etait-elle folle de s'abandonner à l'amour que lui inspirait un vampire, un monstre ?

Elle se regarda dans la glace en se brossant les cheveux et, pour la première fois de sa vie, vit ce que Damien voyait : une belle femme qui avait quelques vilaines cicatrices. Si elles faisaient partie d'elle, elles ne la résumaient pas. C'était Damien qui lui avait permis de le comprendre. Il avait su voir la femme qu'elle était sous ses cicatrices. Un monstre en aurait-il été capable ?

Emma songea à Nicholaï et comprit que les deux frères n'avaient rien en commun. C'était Nicholaï le véritable monstre, et non Damien. C'était lui qui avait renoncé à son âme par soif de pouvoir, lui qui se délectait de la souffrance humaine et n'éprouvait pas plus de compassion qu'un psychopathe.

Elle jeta un dernier regard à son reflet pour rassembler son courage, puis repartit à pas de loup jusqu'à la chambre de Damien, dont elle ouvrit discrètement la porte. En se retrouvant dans le noir complet, elle craignit un instant qu'il ne soit déjà parti, mais sa respiration régulière la rassura vite. Elle n'arrivait pas trop tard… Elle avait encore une chance de lui prouver qu'ils étaient faits l'un pour l'autre et pouvaient triompher de tous les obstacles à condition de rester ensemble.

N'était-ce pas lui qui l'en avait convaincue ?

Elle alluma la chandelle de sa table de nuit et attendit qu'il se réveille. En contemplant son visage à la lumière vacillante de la flamme, elle acquit l'absolue certitude qu'elle ne voulait pas le voir partir. Il lui avait dit qu'elle aurait tort de tomber amoureuse de lui, mais elle n'avait pas pu s'en empêcher. Pour le meilleur ou pour le pire, elle aimait un vampire.

Elle secoua la tête, puis s'assit au bord du lit. Comprenait-elle seulement ce que cela signifiait ? Elle ne savait rien des vampires. En revanche, elle savait qu'elle ne voulait pas le voir disparaître de sa vie sans lui avoir avoué ce qu'elle éprouvait pour lui, qu'elle ne pouvait pas courir le risque de ne plus jamais le revoir, ni passer le reste de sa vie toute seule dans ce manoir après avoir goûté à l'amour et au bonheur... Elle devait lui faire comprendre à quel point il comptait pour elle.

Sur une impulsion soudaine, elle se glissa près de lui. Comme il ne se réveillait toujours pas, elle se mit à l'embrasser, doucement d'abord, puis avec une ardeur croissante. Les lèvres de Damien s'entrouvrirent sous la pression des siennes.

Il grogna dans son sommeil et l'attira contre lui pour approfondir leur baiser. Emma ne put s'empêcher de sourire, même s'il l'étreignait à lui couper le souffle. Alors Damien ouvrit les yeux et la repoussa brutalement.

— Emma ?

Elle lui offrit un sourire et effleura ses lèvres.

— Salut, beau gosse...

— Je croyais...

— Je n'ai pas pu attendre, l'interrompit-elle avant de déposer une série de baisers sur son menton et sa gorge. Je sais que tu m'as dit que nous parlerions demain... Mais je n'ai pas envie de parler, et encore moins de rester toute seule cette nuit.

Emma prit conscience de la nudité de Damien en lui caressant doucement le torse. Les pensées inavouables qui envahirent son esprit la firent sourire malgré elle.

Elle l'aimait et se sentait prête à le lui montrer. Même s'il devait la quitter le lendemain matin, elle voulait faire l'amour pour la première fois avec un homme en qui elle avait confiance et qui partageait les sentiments qu'elle éprouvait pour lui.

— Ce n'est pas raisonnable, Emma. Nous ne pouvons pas...

Il laissa sa phrase en suspens.

Elle avait recommencé à l'embrasser en descendant lentement le long de son torse. Elle s'arrêta un instant pour poser sa main sur son cœur et constata qu'il battait aussi vite que le sien.

— Tout va bien, le rassura-t-elle avant de lui lécher doucement le torse. Je veux seulement te montrer à quel point tu comptes pour moi.

— Emma..., dit-il d'une voix rauque en lui attrapant la main.

L'intensité de son regard et la dureté de son ton l'auraient inquiétée si elle n'avait pas senti son érection contre sa cuisse. Il avait autant envie d'elle qu'elle avait envie de lui.

— Je ne te laisserai pas partir sans m'avoir dit adieu convenablement, insista-t-elle en se frottant contre lui pour le priver du courage de la rejeter.

Il inspira péniblement.

— Cherches-tu à me séduire ?

Son incrédulité la fit sourire.

— Est-ce que ce serait si grave ?

— Mais tu connais ma véritable nature..., balbutia-t-il d'une voix enrouée.

Le chagrin qu'elle lut dans ses yeux lui brisa le cœur.

— Tu as raison. Je sais que tu es quelqu'un de très spécial. Surtout, tu me donnes l'impression d'*être* très spéciale. Je t'aime, Damien... et je veux partager cet amour avec toi.

Damien ne savait comment réagir. Son instinct lui criait qu'il était en train de commettre une erreur. Les choses allaient trop vite et menaçaient de devenir incontrôlables. Mais chaque caresse d'Emma, de ses doigts, de ses lèvres l'embrasait un peu plus, et lui rendait plus difficile de lui résister.

— Je ne crois pas que ce soit une bonne idée..., commença-t-il.

Mais ses baisers insistants et ses caresses délicates lui firent oublier son idée. Lorsqu'elle se pressa contre lui, il sentit ses pointes de seins sous le satin qui l'enveloppait en décuplant son désir.

Il ne put s'empêcher de laisser courir sa main sur ses courbes en se délectant de la douceur de son déshabillé. Prudemment, il prit l'une de ses pointes de seins entre deux doigts et l'agaça jusqu'à arracher un délicieux gémissement à Emma.

— Tu es magnifique et très désirable, Emma, murmura-t-il. Je suis sûr que tu sens à quel point j'ai envie de toi... Mais c'est trop tôt...

— Tu as raison, Damien, dit-elle en posant sa main sur la sienne tandis qu'il continuait à lui caresser le sein. Je sens à quel point tu as envie de moi.

Alors elle le prit de court en se redressant pour se débarrasser de son déshabillé.

Elle ne portait plus que sa culotte, et son corps presque nu que caressaient les reflets de la chandelle était d'une beauté à couper le souffle. Damien entendit son sang rugir à ses oreilles. Elle s'allongea près de lui pour lui offrir la douceur de sa peau et la chaleur de son désir. Elle était si belle, si parfaite...

— Tout va bien, Damien. Nous pouvons nous contenter de rester allongés l'un près de l'autre et de... parler.

Elle laissa courir ses doigts sur son torse, puis son ventre, pour ne s'arrêter que juste au-dessous de son nombril en rencontrant son membre. Elle esquissa un sourire espiègle.

Alors il l'attira contre lui pour presser ses lèvres sur les siennes, ses seins contre son torse, et goûter pleinement son innocence et sa passion.

Elle poussa un faible gémissement et essaya de se blottir encore plus près de lui. Damien écarta les jambes pour la laisser se glisser entre elles et le torturer en se frottant contre son érection.

— Tu es sûre que c'est ce que tu veux ? lui demanda-t-il, le souffle court, après un nouveau baiser fiévreux.

Il écarta ses cheveux de son visage pour pouvoir plonger son regard dans le sien et s'assurer qu'elle n'allait pas regretter ce qu'elle s'apprêtait à faire.

— Je n'ai jamais été aussi sûre de quelque chose...

— Je ne te ferai pas de mal.

— Je le sais.

Comment pouvait-elle lui faire confiance à ce point ? N'avait-elle aucune crainte ? Mais peut-être ne comprenait-elle pas de quoi un vampire était capable...

Pour en avoir le cœur net, il déposa une série de baisers sur sa gorge exquise et la mordilla doucement en veillant bien à ne pas percer la peau. Il ne voulait lui faire aucun mal, mais il voulait être certain qu'elle lui faisait pleinement confiance. Comment pouvait-elle encore l'aimer après tout ce qui venait de se passer ?

Maintenant qu'il avait goûté au sang humain, sa transformation était complète. Après plus de deux cent cinquante ans d'abstinence, il était devenu un vampire à part entière. Il découvrait un nouveau pouvoir et de nouveaux appétits. Allait-il être capable de contrôler sa soif de sang ? Allait-il finir par mordre même Emma, la seule personne qu'il aimait en ce monde ?

Cette idée lui faisait horreur. Il ne voulait surtout pas la blesser. Mais pouvait-il avoir confiance en lui, maintenant qu'il avait goûté à l'élixir de vie ?

Emma se tendit sous les caresses insistantes de sa langue sans qu'il parvienne à déterminer si c'était par crainte ou par désir.

Les réactions de la fille de la clairière lui avaient appris qu'elle ne manquerait pas d'apprécier sa morsure. Tous deux allaient connaître d'intenses plaisirs s'il se laissait aller à planter ses canines dans sa gorge.

Par cet acte, il pouvait unir leurs esprits aussi bien que leurs corps et lui faire découvrir des jouissances telles qu'elle n'en avait jamais connu...

Il laissa courir ses doigts sur sa poitrine et recommença à pincer délicatement ses pointes de seins. Emma se cambra en gémissant pour mieux s'offrir à lui, puis serra les cuisses.

Il avait le même désir qu'elle. Il n'aspirait qu'à

glisser sa main entre ses cuisses pour la caresser, mais il préférait attendre encore.

Alors il prit l'une de ses pointes de seins entre ses lèvres et la suça lentement tandis qu'elle emmêlait ses doigts dans ses cheveux.

— Damien, je t'en prie…

Il prit un plaisir immense à l'entendre le supplier, mais résolut de repousser encore la satisfaction qu'elle lui réclamait.

— Je peux te faire ressentir des choses que tu n'imagines même pas et te forcer à crier mon nom… As-tu envie de moi, Emma ?

— Oh, oui !

— As-tu confiance en moi ?

— Oui…

— Tu en es sûre ?

Lorsqu'il se redressa pour épier son visage à la recherche du moindre doute, elle l'attira vers elle et l'embrassa passionnément.

— Oui, murmura-t-elle sans interrompre leur baiser.

Damien se laissa submerger par son désir. Il glissa sa langue entre ses lèvres pour goûter son innocence enivrante. Il devait se ressaisir et se montrer prudent s'il ne voulait pas perdre la tête, emporté par son ardeur.

Il laissa ses doigts, puis sa langue courir sur tout son corps en s'attardant sur la peau délicate de ses cuisses.

En l'entendant gémir encore, il se mit brusquement à croire à ses rêves. Pour elle, il n'était pas un monstre, mais un homme capable de la rendre heureuse et de la protéger sa vie entière.

— Je ne peux pas te montrer à quel point tu comptes pour moi…, murmura-t-il. Je ne serai jamais assez doux ni assez passionné pour te faire comprendre ce que j'éprouve pour toi.

Il la sentit frémir. Alors il plaça ses mains sous ses hanches pour l'attirer vers lui et goûter ses replis les plus intimes.

19

Le rire résonna de plus en plus fort dans son esprit en lui donnant l'impression qu'une boue noire s'infiltrait dans son corps en réveillant sa terreur dans chacun de ses nerfs.

Elle entendit Damien comme de très loin et tendit les bras pour ne rencontrer que du vide. Alors elle ouvrit la bouche pour parler, mais sa langue était beaucoup trop engourdie.

Asmos.

Sa terreur décupla dès que ce nom se présenta à son esprit. La malédiction s'accomplissait... Asmos avait attendu l'instant précis où elle avait pris conscience de l'intensité de son amour pour se manifester. La panique s'empara d'elle.

— Emma !

La voix de Damien lui parvenait comme d'un lointain passé. Elle tenta de se concentrer sur elle pour lutter contre le démon qui cherchait à la posséder, mais Asmos était bien trop puissant.

— Damien...

Si seulement elle avait pu le voir, elle aurait peut-être réussi à croire qu'il était toujours là et pouvait la sauver du démon. Mais elle était perdue dans un brouillard de ténèbres dont l'odeur nauséabonde la faisait suffoquer.

Elle essaya de se concentrer comme Damien lui avait enseigné à le faire. Elle imagina que des murs s'élevaient autour d'elle pour emprisonner les ténèbres qui l'habitaient et emplit sa pièce mentale de chaleur, d'amour et de lumière.

Alors elle retrouva subitement la faculté de respirer. La pression qui l'étouffait s'allégea et elle parvint à retrouver un peu de calme. Elle devait faire vite et rejeter le démon avant qu'il ne soit trop tard... Elle se concentra sur cette tâche jusqu'à ce que ses yeux s'emplissent de larmes... pour un résultat voisin de celui qu'elle aurait obtenu en se fracassant la tête contre un mur.

Elle se laissa rouler sur le dos, puis sursauta. Elle n'était plus seule dans la pièce inondée de lumière blanche. Une femme drapée dans une robe rouge se tenait devant elle.

Son cœur manqua un battement.

— Maman ?

Etait-il possible que sa mère se trouve là, les mains jointes devant elle, un sourire radieux aux lèvres ?

— Bonjour, Emma.

Sa voix familière et la légère inclinaison de sa tête qu'elle connaissait si bien lui brisèrent le cœur.

— Arrête de lutter, Emma, murmura-t-elle en lui tendant la main. Laisse tout cela derrière toi et viens avec moi. On ne souffre plus, là où je vis. On n'y connaît ni la solitude ni la tristesse... Suis-moi.

Emma sentit de nouvelles larmes rouler sur ses joues. Comme elle aurait voulu la croire... Elle ne demandait qu'à accepter l'idée que sa mère était venue la délivrer de cet enfer pour lui rendre la vie joyeuse qu'elles menaient avant les loups et les cauchemars.

Elle se releva, bouleversée, pour prendre la main de sa mère.

— Emma !

La voix de Damien résonna dans son esprit en lui rappelant brutalement où elle se trouvait et ce qui était en train de lui arriver. Elle sentit quelque chose la toucher en sachant que ce n'était pas sa mère. Celle-ci s'éloignait déjà. Emma contempla l'ovale parfait de son visage et l'amour qui brillait dans ses yeux en priant pour que ce soit réel.

— Concentre-toi, Emma, dit la voix de Damien d'un ton si insistant qu'elle se rendit compte que sa mère n'était pas vraiment là.

Ce n'était qu'une ruse employée par le démon pour l'inciter à lui livrer son âme. Une tristesse infinie l'envahit lorsque sa mère disparut en même temps que la lumière blanche et la pièce mentale dans laquelle elle s'était réfugiée.

Alors elle recommença à errer dans le brouillard de ténèbres. Des bruits qu'elle ne parvenait pas à identifier lui assuraient qu'elle n'était pas seule. Son estomac se noua et sa peur l'envahit tout entière.

Elle devait résister, se montrer forte... Elle se souvint du regard intense de Damien lorsqu'il lui avait demandé de se concentrer sur le cristal. Elle essaya de se rappeler ses stries et la manière dont il captait les rayons de lumière. Puis elle imagina Asmos piégé dans le cristal comme elle l'était dans ces ténèbres... Mais aucune altération de son environnement ne lui laissa supposer que ses efforts étaient d'une quelconque utilité.

Emma vit quelque chose bouger du coin de l'œil. Une forme indistincte se matérialisa pour s'approcher d'elle. La terreur la pétrifia jusqu'à ce que quelque chose se brise en elle et la pousse à s'élancer vers l'apparition.

— Damien ! cria-t-elle.

Alors elle se retrouva face à lui. Son soulagement fut si intense qu'elle en éprouva un vertige et jeta ses bras autour de son cou pour s'agripper à lui.

— Tout va bien, lui murmura-t-il à l'oreille en caressant ses cheveux. Je suis là, maintenant. Il ne t'arrivera rien. Je te l'ai promis, tu t'en souviens ?

Elle hocha la tête en laissant couler ses larmes de joie.

— Merci, répondit-elle d'une voix à peine audible. Merci d'être venu me chercher...

— Concentre-toi sur ma voix. Je suis là...

Il lui offrit un sourire, mais celui-ci devint hideux quand ses canines s'étirèrent monstrueusement. Du sang commença aussitôt à s'en écouler.

Emma le repoussa en hurlant.

— Je ne te ferai pas de mal, insista-t-il alors que du sang apparaissait au coin de ses lèvres.

Tue-le, Emma.

Alors que Damien avançait vers elle, elle prit brusquement conscience d'avoir une dague en argent dans la main. Elle la fixa avec horreur.

Tue-le ! lui ordonna la voix.

— Non ! hurla Emma en jetant la dague.

Elle voulut s'enfuir, mais l'oppression qu'elle ressentait redoubla. Elle se plia en deux en se tenant l'estomac. Lorsqu'elle releva la tête, les murs étaient revenus... sauf que ce n'étaient pas les siens. Ils n'étaient pas là pour la protéger mais pour l'emprisonner.

Emma y posa les mains et chercha fébrilement une ouverture. Mais alors les parois commencèrent à se rapprocher pour l'écraser en lui laissant pour seul espoir de salut un orifice obscur dans le sol.

Terrassée par la panique, elle se mit à sangloter tandis que les parois la poussaient inexorablement vers l'orifice menaçant.

— Tout va bien, Emma.

Emma ravala ses larmes pour se tourner vers la voix. Les murs s'étaient arrêtés et sa mère était revenue. La robe qu'elle portait à présent était d'une blancheur éblouissante.

— Ne t'approche pas de moi ! hoqueta-t-elle en essayant vainement de reprendre son souffle.

— Si tu n'arrêtes pas cette lutte inutile, tu resteras piégée dans les ténèbres pour toujours. Asmos te possède à présent. Résigne-toi à l'inévitable...

— Damien !

— Personne ne peut plus rien pour lui, dit sa mère d'une voix douce qui ne l'apaisait en rien. Tu vas le tuer comme j'ai tué Charles Lausen. Tu ne pourras pas plus t'en empêcher que moi.

Emma ferma les yeux dans l'espoir d'échapper aux images qui l'assaillaient.

— Je t'ai vue. J'étais là...

— Je sais. Je suis désolée.

Alors les loups apparurent l'un après l'autre pour venir s'asseoir devant elle. Le plus grand vint frotter sa tête contre sa jambe. Elle le caressa distraitement. Réconfortée par sa présence, elle plongea son regard dans le sien et y découvrit de l'amour et de la compassion. Si seulement elle avait pu s'endormir contre lui, peut-être se serait-elle éveillée de ce cauchemar...

— Nous t'avons attendue longtemps, Emma. Tu nous as beaucoup manqué. Viens avec nous et tu n'auras plus jamais peur de rien.

Emma ne demandait qu'à croire sa mère. Elle était si fatiguée de lutter... Mais elle ne pouvait pas. Elle devait tenir encore un peu... pour Damien.

Etendu près d'Emma, Damien s'abandonna à la langueur qui s'était emparée de lui après leurs ébats. Il pouvait se faire à cette existence. Il pouvait accepter l'idée de passer le reste de sa vie à prendre soin d'elle. Il laissa courir un doigt sur sa joue sans pouvoir s'empêcher de sourire.

Mais elle ne se tourna pas vers lui.

— Emma ?

Alors il sentit une odeur de soufre s'engouffrer dans la chambre et la terreur l'envahir. Il alluma la lampe de chevet d'un geste fébrile et contempla avec horreur le sourire cruel d'Emma.

— Emma !

Elle le saisit à la gorge avec tant de force qu'il en eut le souffle coupé. Il échappa à son étreinte en reculant brutalement et regarda, pétrifié, ses yeux s'allonger et se brider pour ressembler à ceux des loups.

Il bondit hors du lit et se figea en entendant un grognement sourd. Il jeta un coup d'œil par-dessus son épaule et vit les loups monter la garde autour du lit.

— Lucia ! hurla-t-il en espérant que la potion dont la vieille gitane s'était servie la fois précédente allait encore prouver son efficacité.

Emma s'était allongée de nouveau sur le dos et le fixait avec un grand sourire. Il s'éloigna lentement du lit, ramassa son pantalon et l'enfila avec prudence. Il devait atteindre le cristal. Il fallait qu'il attire Asmos hors d'Emma immédiatement s'il ne voulait pas la perdre pour toujours.

— Lucia ! cria-t-il encore avant d'entendre avec soulagement des bruits de pas dans l'escalier. Les loups sont revenus !

Il se glissa prudemment entre deux loups pour se rapprocher du sac qui contenait le cristal.

— Qu'est-ce qui ne va pas, Damien ? demanda Emma avec une moue boudeuse. Reviens te coucher…

— J'arrive, grommela-t-il en saisissant le cristal.

— Qu'est-ce que c'est ? s'inquiéta-t-elle.

— Un cadeau.

Damien repassa entre les loups qui ne réagirent pas et semblaient se contenter d'attendre qu'Emma le tue.

Il remonta sur le lit et s'y assit en tailleur.

— Approche-toi, Damien, murmura-t-elle.

— Regarde ce que je t'ai apporté, répondit-il en lui tendant le cristal.

— Très joli, commenta-t-elle en le prenant.

Il plaça ses mains par-dessus les siennes et se concentra pour chasser les ténèbres et la volonté d'Asmos hors de son corps.

— Est-ce que ça marche ? lui demanda Emma en retirant ses mains pour pouvoir lui caresser les bras. Ne voudrais-tu pas me faire l'amour, plutôt ?

Damien chassa sa suggestion de son esprit pour se concentrer sur l'énergie du cristal et le démon qui la possédait.

Lucia entra dans la chambre et poussa un cri qui lui fit perdre le faible degré de concentration qu'il avait atteint.

— Que se passe-t-il ? s'écria-t-elle. Vous avez dit qu'il était parti ! Vous avez dit que nous n'avions plus de raisons de nous inquiéter !

Ses mots redoublèrent sa culpabilité. Tout était sa faute. Et il n'aurait qu'une seule chance de réparer son erreur...

— Je me suis trompé, d'accord ? Maintenant, pouvez-vous m'aider en nous débarrassant de ces loups ?

Elle enflamma son chiffon qui dégagea aussitôt une fumée à l'odeur écœurante. Emma recula en grinçant des dents tandis que les loups poussaient des grognements féroces. Lucia avança en balançant son chiffon jusqu'à faire perdre la tête à Emma. Elle se jeta sur lui comme si elle voulait le déchiqueter à mains nues.

Les loups attaquèrent aussitôt. Il les repoussa vaillamment, mais fut mordu plusieurs fois avant que la fumée n'envahisse la pièce et ne les force à battre en retraite dans un recoin du manoir. Le chiffon, tombé par terre, commençait à mettre le feu à la moquette.

Lucia était étendue près de lui. Une vilaine entaille sur son front saignait abondamment. De là où il était, Damien ne pouvait pas savoir si elle respirait encore. Mais le plus grave était l'état d'Emma. Ses yeux rougeoyaient comme des braises. De la femme qu'il avait aimée, il ne restait plus rien. Elle était devenue Asmos.

— Regarde-moi, Emma ! Concentre-toi ! Est-ce que tu m'entends ? Combats-le, Emma ! N'abandonne pas !

Elle quitta le lit.

Au comble de l'angoisse, Damien saisit le cristal et commença seul à entonner le rituel qui devait faire sortir Asmos d'Emma pour lui permettre de le capturer. Il ne lui restait plus qu'à espérer qu'il n'était pas trop tard. Il ne pouvait pas la perdre… Elle était devenue tout pour lui.

Il reprit le processus en s'efforçant d'ignorer sa terreur. Il inspira profondément, compta à rebours et sentit son énergie se déployer.

Il poursuivit ses incantations en s'efforçant vainement d'attirer Asmos vers lui. Ce démon était trop puissant pour lui… Alors il entra dans une sorte de transe pour consacrer toutes ses forces à la bataille en se moquant éperdument de se rendre vulnérable aux attaques physiques d'Emma.

Finalement, Asmos se révéla à lui. Damien et lui s'engagèrent dans un bras de fer mental dont l'enjeu était l'âme d'Emma. Un instant, il fut certain de sentir la présence d'Emma et de l'entendre l'appeler. Il n'était pas trop tard !

— Emma ! cria-t-il. Aide-moi, Emma ! Concentre-toi !

— Tu ne peux pas gagner, Damien, répondit une voix qui ressemblait presque à celle d'Emma. Lèche tes blessures et va-t'en !

Il comprit aussitôt qu'il ne partirait jamais. Il allait combattre pour elle jusqu'à son dernier souffle. Peu importe ce qu'il lui en coûterait, il ne pouvait pas la perdre.

— Damien !

Il était vraiment là. Emma sentait sa présence dans les ténèbres. Elle lutta avec l'énergie du désespoir et tenta encore de se concentrer sur sa voix sans parvenir à le retrouver.

Elle se tourna dans toutes les directions mais ne vit qu'un brouillard opaque. Le pire était que sa mère et les loups avaient disparu. Elle était seule dans les ténèbres. Prise de panique, elle se mit à courir dans un labyrinthe de couloirs mais perdit vite l'équilibre. Elle tomba lourdement et commença à glisser vers l'orifice. Sentant qu'elle n'en ressortirait jamais si elle y tombait, elle se mit à hurler.

Elle avait l'impression qu'Asmos la poussait inexorablement, et qu'elle ne pouvait rien faire pour ralentir sa chute. De justesse, elle parvint à s'agripper au bord du gouffre au dernier instant. Elle plongea son regard dans les ténèbres et devina une lueur lointaine. Une odeur rassurante de terre humide monta vers elle tandis qu'une légère bruine lui rafraîchissait le visage.

Elle en avait assez de combattre. Ses bras lui faisaient mal. Lorsqu'elle essaya de changer de prise pour les soulager, elle se rendit compte que le moment était venu de faire ce que sa mère lui suggérait. Elle devait accepter l'inévitable et abandonner la lutte.

— Je suis désolée, Damien, murmura-t-elle en lâchant prise, les yeux emplis de larmes.

Subitement, elle se sentit aspirée vers le haut. Elle ressortit de l'orifice et s'éleva dans le brouillard. Son ascension était si brutale qu'elle fut saisie d'un vertige et sentit son estomac se nouer. Mais les ténèbres reculaient et son désespoir avec elles.

— Damien ?

Avait-il trouvé un moyen de la sauver ?

Elle ressentit une douleur soudaine à la gorge, puis une immense fatigue. Alors sa terreur se réveilla sous une forme nouvelle. Asmos était parti. Elle en était certaine. Pourtant, quelque chose n'allait pas. Elle ne trouvait plus la force d'ouvrir les yeux.

Emma n'éprouva bientôt plus rien.

Elle était beaucoup trop fatiguée pour se battre ou même se soucier de ce qui lui arrivait. Elle s'accrocha à une dernière pensée jusqu'à ce que le sommeil l'emporte.

Damien…

20

Damien ne savait pas depuis combien de temps durait la bataille lorsqu'il découvrit enfin un point faible qu'il pouvait exploiter. Il saisit l'essence d'Asmos et employa toutes ses forces, aussi bien les nouvelles que les anciennes, pour le tirer hors d'Emma et l'enfermer dans le cristal.

Epuisé, le souffle court, il se laissa tomber sur le sol et attendit un moment avant d'oser ouvrir les yeux. Il avait peur de découvrir qu'Asmos s'était joué de lui, qu'il avait échoué et qu'Emma lui avait échappé pour toujours. Finalement, n'y tenant plus, il les ouvrit... et poussa un hurlement d'angoisse.

Nicholaï, penché sur Emma, se gorgeait du peu d'essence d'Asmos que son sang contenait encore. Fou de rage, Damien poussa un rugissement assourdissant et se jeta sur son frère.

Nicholaï esquiva facilement son attaque et l'envoya rouler un peu plus loin avant de s'essuyer la bouche.

— Tu me remercieras quand tu voudras, petit frère... Tu n'aurais jamais pu sortir ce démon de là sans mon aide.

Damien fixa le visage blême d'Emma sans parvenir à former une pensée cohérente.

— Si tu l'aimes, donne-lui la vie, petit frère. Prends une gorgée et offre-lui ton sang. Accepte ta nature…

— Non ! cria Damien en se prenant la tête entre les mains.

Comment les choses avaient-elles pu en arriver là ?

— Elle est mourante, insista Nicholaï. Elle s'échappe en ce moment même. Dans une minute, le combat de son âme sera terminé. Mais tu peux lui offrir une nouvelle vie. Tu peux lui offrir l'immortalité…

Damien lui jeta un regard haineux.

— En faisant d'elle un monstre ?

— Est-ce ainsi que tu te vois ? ironisa son frère. Je croyais que tu me considérais comme le seul monstre de la famille…

Damien éprouvait une douleur telle qu'il n'en avait jamais connu.

— Comment as-tu pu me faire ça ?

— Pourquoi aurais-je dû m'en abstenir ? Parce que nous sommes frères ? Parce qu'un obscur lien familial nous rapproche l'un de l'autre malgré nos différences ? lui demanda-t-il avant d'esquisser un sourire. Eh bien, tu as raison ! C'est pour ça que je l'ai fait. Je l'ai sauvée pour toi. Une minute de plus et elle se serait perdue dans une dimension démoniaque ou aurait brûlé dans les feux de l'Enfer — comment savoir ? Une chose est sûre : Asmos la détenait et il n'avait pas l'intention de te la rendre.

271

Damien se leva, ramassa le déshabillé d'Emma et le froissa entre ses doigts tremblants.

— C'est ma faute...

— Bien sûr que c'est ta faute ! répliqua joyeusement son frère. Tu es tombé amoureux et tu n'as pas su te retenir.

— Ecarte-toi d'elle ! lui ordonna Damien en tirant sur le drap pour en recouvrir le corps d'Emma.

— J'ai essayé de vous avertir ! s'écria Nicholaï en levant les bras au ciel. Mais cette femme était plus forte que je ne croyais.

Damien laissa libre cours à sa rage. Son frère avait toujours eu le don de tourner les situations à son avantage, mais il allait trop loin, cette fois.

— Essaies-tu de me faire croire que ce que tu as fait... que *tout* ce que tu as fait était dans notre intérêt ?

— Crois ce que tu veux, frérot. Mais si tu veux que cette jolie blonde rouvre les yeux, tu ferais bien de te mettre au travail. Le temps presse.

Damien tourna les yeux vers Emma, de plus en plus pâle. Malgré toute l'horreur que son idée lui inspirait, il savait que son frère avait raison. Pour la sauver, il devait faire ce qu'il s'était juré à lui-même de ne jamais faire : il devait boire le sang d'Emma et la forcer à boire le sien pour lui faire « don » de la vie éternelle.

Il lâcha le cristal dans lequel Asmos était emprisonné pour rejoindre Emma sur le lit. Il prit son corps inerte dans ses bras et le serra contre lui pendant quelques instants. Son pouls n'était presque plus perceptible. Il ne pouvait pas la perdre...

— Je suis désolé, murmura-t-il en fermant les yeux avant de lui mordre la gorge et de goûter son sang délectable.

Damien y perçut sa douceur, sa bonté et son amour pour lui... Ses yeux s'emplirent de larmes.

Alors il s'écarta d'elle et se mordit le poignet pour le presser contre ses lèvres.

— Accepte-moi, Emma, supplia-t-il en espérant qu'il n'était pas trop tard. Choisis de vivre...

Un liquide doux et chaud tomba sur les lèvres parcheminées d'Emma. Elle avait si soif... Son estomac gargouilla lorsque le liquide s'écoula dans sa gorge. Sa migraine commença à se dissiper et elle se sentit retrouver des forces.

Un appétit vorace que seul ce liquide chaud pouvait combler s'éveilla subitement en elle. Emma attira la source plus près de sa bouche, y but avidement et se sentit encore changer. Cette fois, ce n'était pas de la terreur qu'elle ressentait, mais de l'amour et la joie immense de se savoir aimée en retour.

Elle retrouva bientôt la force de s'intéresser à son environnement. Elle sentait qu'elle n'avait pas quitté le lit de Damien. Lorsqu'elle ouvrit les yeux, elle s'attendait presque à le trouver endormi auprès d'elle et à découvrir que tout ce qu'il lui semblait avoir vécu n'était qu'un affreux cauchemar.

Mais Damien ne dormait pas. Il la fixait, l'air terriblement malheureux.

— Qu'y a-t-il ? lui demanda-t-elle, brusquement inquiète. Est-ce que quelque chose ne va pas ?

Il esquissa un sourire d'une tristesse désespérante.

— De quoi te souviens-tu ? lui demanda-t-il.

— A propos de quoi ? Tu me fais peur, Damien...

Elle se redressa, prit conscience du chaos qui régnait dans la chambre et remarqua le corps inerte de Lucia sur la moquette.

— Mon Dieu ! s'écria-t-elle en se précipitant auprès d'elle. Lucia !

Rassurée par le faible gémissement que poussa la gitane, Emma l'attira dans ses bras.

— Pourquoi a-t-elle une entaille sur le front ? Que s'est-il passé ?

— Habille-toi. Je vais l'emporter dans sa chambre, déclara Damien en se penchant pour prendre le pouls de Lucia. Ça va aller...

Il la prit dans ses bras et se dirigea vers l'escalier, suivi d'Emma, qui avait enfilé son déshabillé à la hâte. Dès que Lucia fut couchée dans son lit, elle attira Damien dans la cuisine.

— Explique-moi ce qui lui est arrivé !

— Nous nous sommes battus contre les loups. Nous...

La voix brisée, Damien détourna les yeux.

— ... nous avons failli te perdre.

En sentant sa terreur se réveiller, Emma comprit qu'elle n'avait pas rêvé.

— Asmos ? murmura-t-elle. La malédiction ?

Il acquiesça.

— Je me rappelle m'être retrouvée au bord d'un gouffre, murmura Emma en s'agrippant à l'évier. Je ne sais pas d'où il venait ni comment il a disparu, mais j'ai failli y tomber.

Elle se tourna vers lui.

— J'y *serais* tombée, si quelque chose ne m'en avait pas arrachée au dernier moment... Tu m'as sauvée, Damien.

Il secoua la tête et se détourna d'elle.

Emma lâcha l'évier et l'attrapa par l'épaule pour le forcer à la regarder.

— Tu m'as sauvée !

— Ce n'était pas moi, murmura-t-il.

Elle le fixa quelques instants sans comprendre et ce qu'elle vit dans ses yeux la fit hésiter à l'interroger davantage... Mais il fallait qu'elle sache.

— Alors qui ?

— Nicholaï.

Elle ne put s'empêcher de frémir.

— En absorbant l'essence d'Asmos avec ton sang, il l'a suffisamment affaibli pour que je parvienne à l'attirer hors de toi et à le capturer, lui expliqua-t-il.

Emma jeta des regards surpris autour d'elle.

— Dans ce cas, où est-il ?

— Il est parti avec le cristal.

— Nicholaï a emporté le démon ? s'écria Emma en écarquillant les yeux. Mais que va dire le Cadre ?

— Peu importe. Plus rien ne compte, à présent. Je suis tellement désolé, Emma... Tout est ma faute. Je ne pouvais pas vivre sans toi. Je sais que c'était égoïste de ma part de te forcer à épouser les ténèbres, mais je ne pouvais pas te laisser mourir.

— De quoi parles-tu ?

Mais, alors même qu'elle posait cette question,

la culpabilité qui hantait son regard lui fit deviner ce qui s'était passé.

Elle avait d'abord cru que c'était à cause des horreurs qu'elle venait de vivre que tout lui semblait différent. Sa vision était plus précise, les couleurs plus vives, les odeurs plus puissantes... Surtout, elle n'avait jamais éprouvé une telle faim.

Emma passa sa main sur sa gorge et se laissa gagner par la panique en sentant les contours irréguliers de la morsure.

— Tu as bu mon sang ? s'écria-t-elle, incrédule.

— Je t'ai ramenée.

Elle se massa le front en tâchant de comprendre ce qu'il disait.

— Est-ce que je suis morte ?

— Tu n'es plus humaine.

Elle se laissa tomber sur une chaise. Elle venait de mourir. Elle n'était pas tombée dans le gouffre, mais elle était morte quand même.

Et Damien l'avait ramenée à une vie... différente.

— Tu dis que Nicholaï a absorbé l'essence d'Asmos avec mon sang ?

Damien acquiesça.

— Et que si tu n'avais pas fait ce que tu as fait...

— Nous ne serions pas en train de nous parler à cet instant, l'interrompit-il en tirant une chaise pour s'asseoir en face d'elle.

Il laissa courir ses doigts sur sa joue.

— Tes cicatrices ont disparu, lui fit-il remarquer.

— Avec mon humanité.

Une crampe d'estomac la força à se plier en deux

et allongea ses canines. Elle en effleura les pointes aiguisées avec horreur.

— Tu as besoin de te nourrir, lui expliqua-t-il. Et vite… Tu te sentiras mieux après.

— Me nourrir ? lui demanda-t-elle avec angoisse. De quoi ? Il n'est pas question que je fasse du mal à des animaux !

Elle songea à la petite Angel, qui dormait paisiblement dans sa chambre — du moins l'espérait-elle.

— Tu n'auras pas à le faire. Tu n'es pas un monstre…

Emma eut l'impression qu'il la rassurait pour mieux se rassurer lui-même, et en fut profondément émue.

— Non. Je suis comme toi. Comme toi, je choisis de ne pas tuer et je vais tâcher de faire le bien autour de moi.

— C'est bien dommage que je ne puisse pas me voir à travers tes yeux, soupira-t-il en l'attirant dans ses bras.

— Me crois-tu maléfique ?

Il éclata de rire.

— Certainement pas, répondit-il en s'écartant pour la regarder droit dans les yeux.

— Pourtant, j'ai été touchée par le mal, comme quand j'étais humaine… Dans ce cas comme dans l'autre, c'est à moi de décider de l'influence qu'il aura sur ma vie.

— Mais tu n'es plus humaine. Il te faudra du temps pour t'y habituer et me pardonner.

— Peut-être, mais ça ne me prive pas de mon choix… Et c'est toi que je choisis, Damien. Tu m'as empêchée de tomber dans le gouffre. Tu m'as sauvée… Et ton sang m'a offert une nouvelle existence à découvrir. C'est toi que je choisis, Damien. Je choisis l'amour.

Si vous avez aimé ce roman, ne manquez pas en novembre, dans la collection Nocturne, *le prochain volume de la série* « Aux portes des ténèbres » Fatale étreinte.

NOCTURNE

Si « La prophétie de la nuit » vous a séduite, laissez-vous envoûter par le 2e titre de la collection Nocturne : « La caresse du vampire », également en vente le 1er octobre.

Dans les quartiers mal famés de Seattle, des corps sont retrouvés, vidés de leur sang. Une vague de crimes qui sème la panique dans toute la ville : hommes ou bêtes, qui sont les créatures capables d'une telle cruauté ? Persuadée de tenir là le scoop de sa vie, Kristin décide de mener seule l'enquête. Mais un soir, alors qu'elle vient de réussir à pénétrer dans une boîte de nuit à la réputation sulfureuse, elle est accueillie par Dmitri, le propriétaire des lieux. Immense, vêtu de noir, il la toise, le visage sévère, le regard sombre. Et tandis que Kristin, terrifiée, tente de rebrousser chemin, il laisse apparaître entre ses lèvres charnues les pointes de deux canines menaçantes...

La caresse du vampire, de Theresa Meyers

NOCTURNE n° 45

NOCTURNE

Votre prochain rendez-vous le 1ᵉʳ novembre

www.harlequin.fr

Composé et édité par les
éditions **Harlequin**

Achevé d'imprimer en septembre 2011

La Flèche
Dépôt légal : octobre 2011
N° d'imprimeur : 64225

Imprimé en France